入門マルチメディア

第二版

INTRODUCTION TO MULTIMEDIA

[FOR BUSINESSPERSON]

CG-ARTS
公益財団法人 画像情報教育振興協会

ディジタル化とネットワーク化がもたらす社会

　文字，音，画像，映像など，さまざまな情報がディジタル化され，インターネットを経由して送り手と受け手で共有されることにより，コミュニケーションがはかられてきた。

　2020年以降の新型コロナウィルス感染症の拡大防止対策を発端に，社会全体でディジタル化とネットワーク化が加速した。外出の自粛によるテレワークやリモート授業，コミュニケーションの在り方など，勤務形態や生活様式が見直され，私たちの社会や暮らしが大きく変化している。

　そうした変化をうけ，これからの生活を豊かで楽しく，効率的なものにしていくためには，マルチメディアの利活用は不可欠である。ユーザはマルチメディアに関連するしくみやサービスなどを理解して利用することが重要である。

「入門マルチメディア 第二版」　解説内容

chapter 1　マルチメディアの特徴

ディジタルとアナログを比較し，マルチメディアを構成するさまざまな要素について解説する。

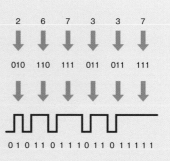

chapter 2　コンテンツ制作のためのメディア処理

マルチメディアを用いた制作物であるディジタルコンテンツを実際に制作し，表示するための基礎知識やコンテンツ制作に必要なアプリケーションソフトウェアについて解説する。

chapter 3　マルチメディア機器

コンピュータのハードウェアと周辺機器，ソフトウェアのしくみについて解説する。

chapter 4　インターネット

インターネットのしくみや接続に必要となるものについて解説する。

chapter 5　インターネットで提供されるサービス

WebサービスのしくみやSNSを中心に，1対多，多対多のディジタルコミュニケーションについて解説する。

chapter 6　インターネットビジネス

インターネットを経由して提供される販売業や金融業，コンテンツ産業，広告業のビジネスについて解説する。

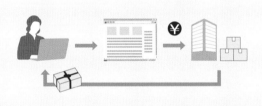

chapter 7　ディジタルとネットワークの活用で変わるライフスタイル

社会のディジタル化がライフスタイルやワークスタイルに大きな変化をもたらしていることについて解説する。

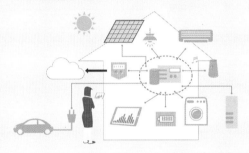

chapter 8　社会に広がるマルチメディア

生活や暮らしにおける，人が生活するうえで必ず接点をもつであろう分野のマルチメディアについて解説する。

chapter 9　セキュリティと情報リテラシ

情報について安全な管理や節度をもった扱い方，知的財産権の保護など，多くの留意すべき事柄について解説する。

　今後も，IoTやビッグデータ，AIなどのさまざまな技術が応用され，ICT（情報通信技術）が活用されることにより，新たな商品・サービスの提供や，ビジネスモデルの開発を通じて，社会の制度や組織文化なども変革していくような取り組みが進められることが想定される。私たちの生活がより豊かで快適なものになることが期待されている。

contents

1

マルチメディアの特徴

マルチメディアは，文字，音，画像，映像など多様な情報の表現形態をコミュニケーションの道具として，一体化して統合的に用いたものである。マルチメディアの最大の特徴として，ディジタル化と双方向性（インタラクティブ）があげられる。ディジタル化は，多種多様な情報を統合して効率よく扱うための表現方法である。インタラクティブは，送り手と受け手が情報を共有できることをめざしている。ここでは，ディジタルとアナログを比較し，マルチメディアを構成するさまざまな要素について解説する。

1-1

アナログとディジタル

人間の眼や耳から入ってくる映像や音は,すべてアナログの情報である。そうした情報をコンピュータで扱えるようにするためにはディジタル化が必要となる。ここでは,アナログとディジタルの違いについて,またディジタル化によるさまざまなメリットについて解説する。

1-1-1 アナログからディジタルへ

　1970年代以降,民生品の各種メディアコンテンツや媒体はアナログからディジタルに移り変わっていった。たとえば音楽を聴くための媒体としては,アナログレコードやカセットテープなどからコンパクトディスク(CD)が登場し,その後,ミニディスク(MD),ディジタルオーディオテープ(DAT),半導体メモリへと変わってきた。

　アナログレコードを使っていた頃は,キズが付かないように表面を丁寧に扱い,再生中は振動によって針が飛ばないように注意しなければならなかった。また,LP盤は直径が30センチもあるため,非常にかさばっていた。さらに,複数の曲が収録されている場合は,聴きたい曲の部分を目視で見当を付けて針を下ろしていたのである。

　レコードの音響データを複製するには,当時はカセットテープなどを利用していた。録音には演奏時間と同じ時間がかかる。つまり5分の曲を録音するには通常5分の時間を要した。そして複製を繰り返すと,アナログ信号のため記録した信号は徐々に劣化してしまう。

　現在では,記録媒体や記録・再生する機器そして信号伝送がディジタル化されたことで,アナログ時代には不便であったことが解決されている。CDは多少ディスク面を雑に扱っても再生に支障はない(保存性)。また,直径12センチの円盤であるため持ち運びが容易である。記録媒体が小型になるにつれ可搬性は高まった。そして,インターネットを利用した配信サービスなどにより,もはや媒体を持つことも不必要になった(ポータビリティ)。CDの選曲は非常に簡便となり(検索性),ディジタル音源の複製は短時間で済む(転送時間の短縮)。以上のように,アナログからディジタルに移行することによって,利用者はさまざまな恩恵を受けた。

　情報の保存性について注目すると,アナログ信号で音を記録するレコードの場合は,音の波形に応じて盤面に刻んだ溝に沿って振動するレコード針の動きをカートリッジで電気信号に変換している。レコード針はダイヤモンドなどを素材にしているため,接触を続けると溝が少しずつ削られる。また図1.1に示すように,ホコリが付着したり,外部の振動などによって針が溝にキズを付けたりすると雑音が発生し,結果的に情報が劣化する。

　それに対してCDは,データの記録面は透明なプラスチックで保護されて

おり，データの読み出しもレーザ光線を当ててその反射光を読み取る。物理的な接触がないため，レコードと比べて記録面が劣化することが少ない。

　また，データは0と1のみのディジタルで記録されているため，いくらコピーを繰り返しても劣化はしない。加えて，そのコピーにかかる時間はアナログどうしのコピーに比べて一般的に高速である。

　CDやHDD[*1]などはデータをどこに記録しているかを管理する領域がある。ここがCDの素材の経年劣化など何らかの理由で壊れると，データ自体は正常に記録されていても，データを取り出せなくなり，復旧することが大変困難になる。また，フラッシュメモリのような半導体メモリも，データの読み書きを繰り返すと寿命が尽きる。このように，ディジタルだからといって，永久にデータが保存できるわけではないことに注意する必要がある。

*1　HDDについては，3-2-4を参照のこと。

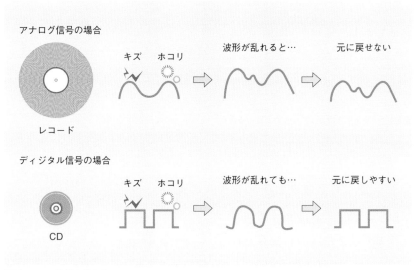

■図1.1――情報の保存性

　図1.2に示すように，情報をディジタル化して扱うことで，音，テキスト，画像，映像といったデータをすべて一元管理できる。アナログ時代には，音はレコードやカセットテープ，画像はフィルム，映像はビデオテープといったように，それぞれの記録媒体は基本的には異なっていた。一方，ディジタルでは，みな同じ0と1のデータのみであるため，同じ記録媒体に保存することができる。スマートフォンやパーソナルコンピュータ(PC)では，さまざまなメディアコンテンツを取り扱えるのも同じ理由である。

　また，ディジタル化によって情報の検索も容易になる。文書作成ソフトや表計算ソフトで検索機能を利用したり，インターネットの検索サービスを活用したりすることで，そのメリットを受けられる。いまでは自然言語処理の技術を活用して，曖昧な表記も許容したり，多少の誤入力にも対応できたりする。

　さらに，ディジタルでは，各メディアコンテンツの間で相互にデータを活用できる。たとえば，プログラムによって音の強弱で画像の明暗を変化させ

たり，音楽に合わせてアニメーションをリアルタイムに表示したりできる。

　データを伝送する際も，ディジタルのメリットは大きい。ディジタル信号は暗号化技術との親和性がよく，通信内容を暗号化することで，容易に安全性を確保できる。[*2]

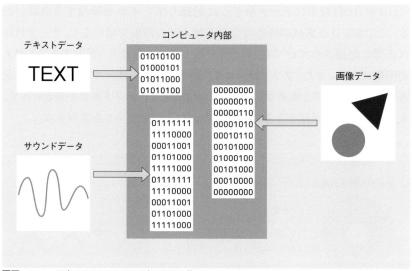

■図1.2──メディアコンテンツのディジタル化
メディアコンテンツをデータとして扱うことで，コンピュータで一元管理できる。

1-1-2　アナログとディジタルの違い

　レコード盤に記録されている音は**アナログ**で，CDに記録されている音は**ディジタル**である。しかし，その2つの音を比べてみても，どちらがアナログでどちらがディジタルなのかを聴き分けることは難しい。

　アナログとディジタルの違いについて理解するために，図1.3の時計の表示を例に示す。アナログ時計では，長針がなだらかに連続

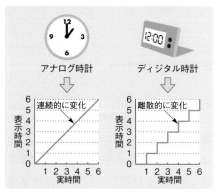

■図1.3──アナログ時計とディジタル時計の違い

的に進む。時間という連続的な情報が，針の連続的な動きによって表現されている。一方，ディジタル時計では，数字が「15:30」，「15:31」と離散的に変化する。ディジタル時計の最も小さな桁が分であれば，その時計の数字は1分が経過するまで変わらない。つまりアナログとは「連続的に変化する値」のことであり，ディジタルとは「離散的に変化する値」のことである。

1-1-3　ディジタル化

　ディジタル化とは，連続的なアナログデータを離散的なディジタルデータに変換することであり，**A/D変換**（Analog/Digital変換）ともよばれる。たとえば音は，空気の振動として伝わる。その振動をマイクロフォンによって電気信号＝音響信号に変換する。図1.4に示すように，この音響信号が，横軸に時間，縦軸に音の大きさを示した連続的な波の形になる。音のディジタル化とは，この連続的な波形から，時間の経過と音の大きさの変化の2つの値をディジタル化することを指す。

① 音響信号の入力
連続的な音響信号を入力する。

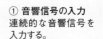

② 標本化
時間軸上において，等間隔に並んだ点のみの値を取り出す。これを標本化（サンプリング）とよぶ。

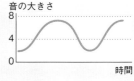

③ 量子化
音の大きさ軸上においても，一定の間隔をもった値に変換する。これを量子化とよぶ。

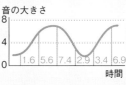

■図1.4——音響信号のアナログ／ディジタル変換の流れ

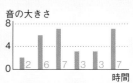

1-1-4　0と1で表現されるディジタルデータ

　ディジタル化された音響データは，コンピュータが扱いやすい0か1の数字の列で表現される。なぜなら，コンピュータは連続的に変化するアナログデータでは処理できないためである。図1.4の③に示す量子化後の値を，図1.5のように0か1のデータに変換することを**符号化**とよぶ。0か1か，あるかないか，といった単純なディジタルデータに変換することで，コンピュータは膨大な情報を処理できる。

　これは音響データに限らない。文字や画像，映像も，コンピュータで扱われるデータすべてが，0か1の数字の列で表現される。このコンピュータにとって最も基本となる0あるいは1という情報1つが**1ビット**（bit）という単位であり，8ビットで**1バイト**（byte）という単位となる。通常コンピュータで扱うデータの大きさを表すには，このバイト単位が用いられる。

符号化
量子化した値をコンピュータが扱える
2進数に変換することを符号化とよぶ。

| 2 | 6 | 7 | 3 | 3 | 7 |

⇓　⇓　⇓　⇓　⇓　⇓

010　110　111　011　011　111

⇓　⇓　⇓　⇓　⇓　⇓

コンピュータは，0と1を電圧のレベル
（低／高）で表現する。

010110111011011111

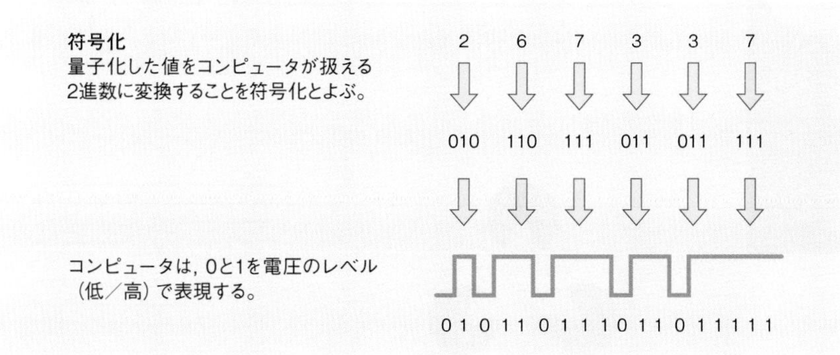

■図1.5——0と1ですべてを表現するコンピュータ

*3　8ビットとは「00010101」のように，0と1が8個並んでいる状態をいう。

*4　半角の数字やアルファベット1文字を記録するのに必要な情報量が1バイト，全角かなや漢字は2バイト以上の情報量となる。

chapter

1

1-2
人間の感覚

情報をどのように知覚し，どのような解釈を加えて，どれだけの意味を読み取るかは，人間の知覚能力と認識能力，および，それらの特性に依存する。したがって，意図を受け手に正しく伝えるためには，送り手が受け手の人間的な特性を考慮してコンテンツを作成する必要がある。人間は視覚，聴覚，触覚，味覚，嗅覚の5つの感覚（五感）で外界の現象をとらえているといわれており，実際には90%を視覚と聴覚が占めている。ここでは，視覚と聴覚について解説する。

1-2-1　視覚

　人間が取り入れる情報のかなりの部分は，視覚に依存するといわれている。ある対象がどのように見えるかは，形，大きさ，動き，色，明るさなどの知覚的属性によって決まる。

[1] 形，大きさ，動き

　図形には，何かの形を表している部分と背景の部分がある。このとき形として見える部分を**図**とよび，背景を**地**とよぶ。一般に，境界線で囲まれているものや面積の小さいものが，図として見えやすいとされている。ただし，図形の構成によっては，図と地が逆転して見えることがある。たとえば図1.6では，黒地に白の図と見るか，白地に黒の図と見るかで，見え方がまったく異なる。

　感覚器に異常がないにもかかわらず，実際に存在するものが本来の形状とは別の形状で知覚されることがある。これを**錯視**とよぶ。図1.7に示すように，長さ，面積，方向，角度などの幾何学的関係によって起こる錯視を**幾何学的錯視**とよび，描かれていないにもかかわらず認識される輪郭を**主観的輪郭**とよぶ。

■図1.6——ルビンの壺

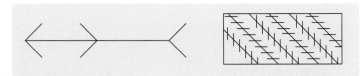

[a] 幾何学的錯視

[b] 主観的輪郭

■図1.7——幾何学的錯視と主観的輪郭

遠くにいる人物は，近くにいる人物よりも小さく見える。しかし，人間はその人物を「小さい人物」と思うのではなく，実際の大きさを想像し，見えているよりも大きく知覚する。このような特性を**大きさの恒常性**とよぶ。この特性はしばしば大きさの錯視を生み出す。

たとえば，図1.8の2人の人物は同じ大きさであるが，右側の人物のほうが左側の人物よりも大きく感じられる。これは，背景の線画によって奥行きが知覚され，遠くにいる右側の人物が，見えているよりも大きく感じられるためである。

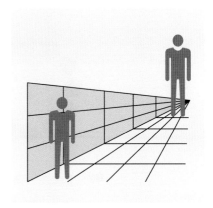

■図1.8——大きさの錯視

[2] 色，明るさ

色は，人間の視覚の感度で評価した心理物理量であり，電磁波の一部である光の情報が眼から視神経を通じて視覚中枢に伝えられて認識される心理的な現象である。人間の眼がとらえることのできる電磁波の波長は約380〜780nmといわれている。これを**可視光**とよぶ。図1.9に可視光を示す。さまざまな波長をほぼ均等に含んだ光は白色光とよばれ，正午頃の太陽の光がほぼこれにあたる。

可視光のうち，青色に知覚される波長が短い光は**ブルーライト**とよばれ，太陽やLED電球，ディスプレイモニタ，スマートフォンの画面などから発せられている。このブルーライトが原因で，眼精疲労や睡眠障害など人体に影響を与えることがあるため，ブルーライトを遮断するフィルタや眼鏡などが市販されている。

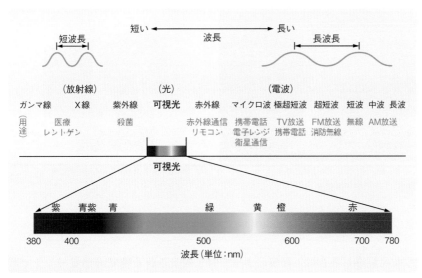

■図1.9——可視光

また色は，**色相**（色合い），**彩度**（鮮やかさ），**明度**（明るさ）の3つの属性によって形容されることが多い。これを色の三属性とよぶ。図1.10に色の三属性を示す。

*5 色を何らかの指標に基づいて体系的に表したものを表色系とよび，顕色系と混色系に大別される。知覚される色（知覚色）を色相，彩度，明度とよばれる三属性で系統的に配列し，記号や色票などで定性的に扱うものが顕色系であり，色を複数の色（刺激）が混じったものとして定量的に表すものが混色系である。

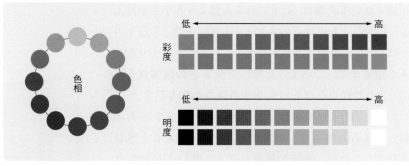

■図1.10——色の三属性

　ある色がほかの色と並べられたときに，その違いが強調されて見えることを，色の**対比**とよぶ。たとえば図1.11では，左右の星は同じグレーであるが，黒い背景のほうは白っぽく見え，白い背景のほうは黒っぽく見える。

■図1.11——色の対比 (明度対比)

　対比と反対に，ある色がほかの色と並べられたときに，その色に近づいて見えることを，色の**同化**とよぶ。たとえば，図1.12では，赤の格子が描かれた領域の橙色は赤っぽく見える。

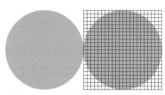

■図1.12——同化

　透明感は光が対象物を透過することによって得られるが，実際には透過していなくても，色の組み合わせにより，透明に見えることがある。これを**透明視**とよぶ。図1.13に典型的な透明視効果を示す。

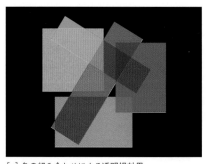

[a] 色の組み合わせによる透明視効果

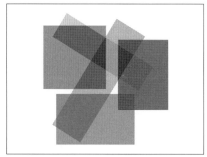

[b] 明るさの重ね合わせによる透明視効果

■図1.13——透明視効果

1-2-2　聴覚

　人間が感じる音は，音波によって引き起こされる聴覚的感覚のことである。音波は音を発しているもの(音源)から出ている振動であり，空気が圧縮・膨張しながら伝播する現象である。空気の振動が人間の鼓膜に伝わり，情報として脳に達したときに音の感覚が生まれる[*6]。

　聴覚情報は，視覚情報を補助するだけでなく，視覚では伝えられない情報を伝えることもできる。たとえば，音は対象者がどこを向いていても，ど

*6　ここでは，音声を含む音全般を音としている。音声は，人の声帯の振動や肺からの空気流が音源となって，声道で音響的共振を起こし，唇や鼻から空間にエネルギーを放射することによって生じるものである。

んな作業をしていても耳に入る。したがって，操作エラーやタイマーによる時間計測などは，視覚的なメッセージを表示するより，警告音やブザー音で表現したほうが伝わりやすい場合がある。また映像に音楽を組み合わせると，場面ごとのムードや，恐怖感，緊張感といった情緒的な情報を鑑賞者に伝えることができる。

　人間は，ごく小さなささやき声からジェットエンジンのような騒音まで，広範な音を聞くことができる。ただし大きな音と一緒に鳴っている小さな音は聞こえづらい。たとえばラジオを聴いている近くで掃除機が使われると，聴きたいラジオの音がかき消されることがある。このように，ある音が別の音によって妨害されて聞こえにくくなる現象を**マスキング効果**とよぶ。

　飲食店では，店内にBGMを流して，まわりの客や厨房からの物音，店員どうしの会話，店外からの環境音などが気にならないようにしているが，これにはマスキング効果が利用されている。

　また，人間はさまざまな音のなかから意識的に聞こうとする音を聞き分けることができたり，関心やなじみのある語句がはっきりと聞こえてきたりする。これを**カクテルパーティ効果**とよぶ。大勢の人たちがそれぞれに歓談している騒がしい宴会場でも，話し相手の会話を聞き取れたり，自分の名前が呼ばれたことに気づいたりするのは，カクテルパーティ効果のためである。

[1] 音の三要素

　人間は音の三要素，すなわち音の高さ，音の大きさ（音量），音色をそれぞれ感じ取ることができる。音の三要素は，**音響信号**の波形に現れる。[7]

　音の高さ（ピッチ） は，音響信号の周波数（1秒間に振動する回数）に比例する。つまり，低い音ほど音響信号の波形の山と山の間隔は広くなり，高い音ほど間隔は狭くなる（図1.14）。人間は周波数20Hz〜20kHzの範囲の音を聞くことができるといわれており，これを**可聴周波数**とよぶ。

　音の大きさ[8]は，音響信号では波の振幅で表され，大きい音ほど振幅が大きくなる（図1.15）。通常，音の大きさはデシベル（dB）という単位で表される。日常での会話の音は30〜60dB程度，交通量の多い道路の騒音は80dB程度といわれている。

*7　横軸に時間，縦軸に振動の大きさ（振幅）をとった波形として表現される。

*8　音の大きさは，人間が知覚する音の大きさのことを指す。音源（音を発しているもの）の音の大きさを表す場合は，音の強さや音量，ボリューム，ラウドネスなどが用いられる。

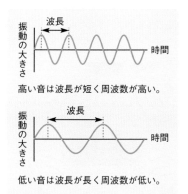

■図1.14——音の高さ

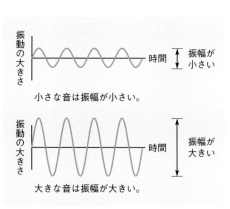

■図1.15——音の大きさ

音色（トーン）は，たとえば人間と音叉で同じ音程の音を同じ大きさで出したとしても異なって聞こえるように，音の属性のなかで高さと大きさを除いたものを指す。これらの音は音響信号では波の形として表され，音色が異なれば，音の波形は異なった形状で現れる[*9]（図1.16）。また音色の印象は，波形だけでなく，音の高さや音の大きさの変化とも密接な関係がある。

*9 このような違いが生じるのは，自然界の多くの音に，倍音が混ざっているからである。倍音とは，基準となる音の周波数の，整数倍の周波数の振動のことである。

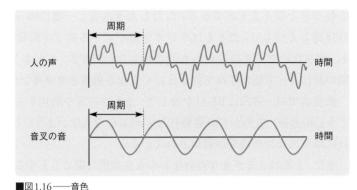

■図1.16——音色

[2] 音響効果

マルチメディアを用いたコミュニケーションでは，伝えたい情報に適した音の高さ，音の大きさ（音量），音色を選択する必要がある。また画像に特殊効果があるように，音にもディジタルを利用した効果を適用できる。例として，エコー，ディレイ，コーラスなどがある。

また，通常の前方2本のスピーカに加えて，ユーザを取り囲むように周囲や天井にスピーカを設置して複数から音を発することで，音の空間的な広がりや移動，臨場感を感じさせるサラウンド効果[*10]を得ることができる。映画館やホームシアターシステム，サラウンド効果を再現できるサラウンドヘッドホンなどで採用されている。

*10 立体音響や3Dオーディオともよばれる。

5.1chサラウンドでは，図1.17のように前方左右の2本，前方中央の1本，後方左右の2本，低音専用のサブウーファの合計6本のスピーカを使用して音を臨場感豊かに再生する。ch（チャンネル）はスピーカの数を表すが，サブウーファは再生できる音域が限られるため0.1chと数えられる。

臨場感をさらに高めるため，スピーカの数を増やした7.1chや9.1ch，22.2chなどといった規格もある。

■図1.17——サラウンドシステム

1-3
ヒューマンインタフェース

マルチメディアと，アナログにおけるメディアとの違いは，双方向性（インタラクティブ）を備えているかどうかにある。ヒューマンインタフェースとは，人間と，機械やシステムなどとの接点のことを指す。ユーザがコンピュータとの間で情報をやりとりするためのあらゆるしくみがユーザインタフェースであると考えられる。

1-3-1　双方向性（インタラクティブ）の特徴

　情報の送り手と受け手が相互にやりとりをしたり，ユーザの操作に応じて情報の表示方法や再生方法が変化したりすることを，**双方向性（インタラクティブ）**とよぶ。インタラクティブには，「双方向の」や「対話型の」という意味があり，ユーザ（受け手）が何らかの操作を行うと，送り手から対応した内容が返ってくるというのが典型例である。ここでいう送り手は，人間でもコンピュータでもかまわない。インタラクティブは，送り手と受け手の確実な情報共有のための手段といえる。

　図1.18はオンラインショッピングのWebサイトの例であり，双方向性を備えたコンテンツとなっている。

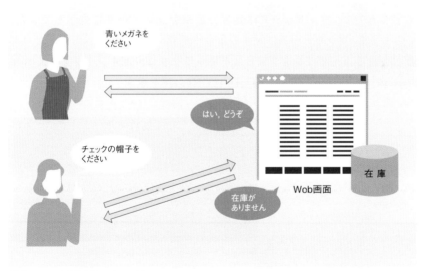

青いメガネを
ください

はい，どうぞ

チェックの帽子を
ください

在庫が
ありません

Wob画面

在 庫

■図1.18——双方向性のイメージ

　またテレビ放送においては，従来は番組表どおりに決まった番組が放送され，視聴者はそれを見るか見ないかの選択肢しかなかったが，たとえばテレビ番組内でアンケートを実施した際に，視聴者がそれに対してテレビのリモコンで回答し，番組側はそれを受け取ってその結果に応じて番組内容を変えていくといった，双方向性をもつようになった。

　双方向性の例としてゲーム機はその最たるもので，コントローラにモー

ションセンサを内蔵することにより，ユーザはコントローラを振るなどのアクションを起こすことでゲームの操作ができる。

1-3-**2** ユーザインタフェース

インタフェースには，「界面」や「接点」という意味がある。人が機械を操作したり機械と対話したりする際の情報のやりとりのためのあらゆるしくみのことを，**ヒューマンインタフェース**とよぶ。なお，ユーザの視点からこれらのしくみを考えるときには**ユーザインタフェース**とよぶことも多い。コンピュータの場合，キーボードやマウス，ディスプレイモニタ，スピーカなどが該当するが，このようなハードウェアだけでなく，コンピュータの画面に表示されるウィンドウやメニュー，アイコンのようなグラフィックオブジェクトなどもユーザインタフェースに含まれる。

ユーザインタフェースには，使いやすさを追求する**ユーザビリティ**だけでなく，年齢や性別，障がいや能力の違いに関係なく最初からできるだけ多くの人が利用可能であるものを追求するデザインや考え方を指す**ユニバーサルデザイン**をもとに設計されていることが多い。[*11]

[1] キャラクタユーザインタフェース

コンピュータは，登場した当初はユーザが文字で操作するものであり，ユーザはファイルを操作するための命令である**コマンド**をキーボードから文字で入力し，コンピュータは処理の結果を文字で画面に表示していた。このように，コンピュータに対する命令や演算の結果が，すべて文字だけで表示されるユーザインタフェースを**キャラクタユーザインタフェース**（CUI: Character User Interface）とよぶ。図1.19にCUIの例を示す。

■図1.19――CUIの例「MS-DOS」の画面

[2] グラフィカルユーザインタフェース

CUIに対し，誰でも直感的かつ簡単にコンピュータが使用できることを目指して開発されたものが，**グラフィカルユーザインタフェース**（GUI: Graphical User Interface）である。GUIでは，ユーザはコンピュータの画面に表示されたアイコンやメニュー，ボタンなどのグラフィックを，マウスなどの**ポインティングデバイス**や**タッチパネル**を使用して選択する。それぞれのグラフィックにはコマンドが関連付けられており，ユーザの操作に合わせて対

*11 ユニバーサルデザインと似た用語にバリアフリーがある。バリアフリーは，障がい者や高齢者，妊娠中の女性や子ども連れの人などにおもな焦点を当て，そうした人々が社会生活をおくるうえでバリアとなるものを除去するとともに，新しいバリアをつくらない（物理的な障壁だけでなく，社会的，制度的，心理的なすべての障壁に対処する）という考え方を指す。

応するコマンドが実行される。このようなユーザインタフェースはコマンドの内容が視覚的にわかり，文字で入力する必要がないことから，初心者にとって非常に親しみやすい。図1.20にGUIの例を示す。

■図1.20——GUIの例「iOS」の画面

■図1.21——
音声認識アプリの例
「Amazon Alexa
（アマゾンアレクサ）」
（提供：Amazon）

■図1.22——
スマートスピーカの例
「Echo Dot（エコードット）」
（提供：Amazon）

[3] 音声を用いるインタフェース

音声認識技術を用いて，音声でコンピュータを操作するユーザインタフェースがある。図1.21はスマートフォンに搭載されたAI機能の例であり，AI機能に対して設定した言葉を話しかけることで，あらかじめ登録したコマンドを自動で実行する。また，図1.22に示すようなスマートスピーカ[*12]では，端末に話しかけることで，インターネット検索や音楽の再生，ボリュームの調整ができるなど，クラウド上のAIを利用してさまざまな機能を実現している。

[4] マルチモーダルインタフェース

人間は五感を組み合わせて働かせることで身の回りの世界を感じ取っている。人間とコンピュータがやりとりするときも，文字だけでは伝わりにくい情報に音声や映像が追加されれば，コンピュータはさらに使いやすくなる。こうした考え方に基づき，人間とコンピュータとのやりとりにおいて，人間が外界から得ている視覚や聴覚，触覚などの知覚を複数利用して情報の入出力を支援するインタフェースを，**マルチモーダルインタフェース**とよぶ。図1.23にマルチモーダルインタフェースの例を示す。擬人化エージェントはコンピュータの入出力を人物の表情や音声に置き換えることで，情報を効果的に伝達できる。また，キーボードやマウスなどのインタフェースが操作できなくても情報のやりとりが可能になる。ユーザの話し相手となるだけでなく，話し方などの非言語情報から，たとえば高齢者の健康状態や精神状態の把握を目的としている。

■図1.23——擬人化エージェント
「高齢者のための傾聴エージェント」
（提供：成蹊大学知的インタフェース研究室）

*12 AIスピーカともよばれる。

1-3-3 現実世界と仮想世界の融合

　ハードウェアやソフトウェアが高度に進化し，通信速度が向上して大容量の情報をユーザが扱える環境が整ったことで，これまで以上に日常生活で仮想世界に触れる機会が増えている。ここでは，現実世界と仮想世界との融合技術を解説する。

[1] VR（仮想現実）

　3次元CGや音響効果を用いて，ディジタル化された情報を組み合わせて人工的に合成された仮想世界を構築し，ユーザにあたかも現実の世界であるかのように感じさせる技術を**バーチャルリアリティ**（VR：Virtual Reality）とよぶ。図1.24は，3次元CGを用いて会議室や参加者のキャラクタを構築し，現実世界のオフィスをインターネット上の仮想空間で実現したVRの活用例である。**アバタ**とよばれる自分を表現する分身を利用することで，参加する自分や仲間をイメージしやすくなり，現実世界を模倣したやりとりができる。

　多くのユーザがこうした仮想空間に参加し，コミュニケーションや体験を提供するプラットフォームやサービスを**メタバース**とよぶ。図1.25のユーザ参加型のゲームもメタバースの一例であるといえる。

■図1.24——VRの活用例「Horizon Workrooms」
（提供：Meta）

■図1.25——VRの活用例
「Minecraft for Windows」
(NOT OFFICIAL MINECRAFT PRODUCT.NOT APPROVED BY OR ASSOCIATED WITH MOJANG)

■図1.26——HMDの例
「PlayStation VR2」
（提供：ソニー・インタラクティブエンタテインメント）

　仮想世界において，ユーザは頭の向きに連動して映像を映し出す**ヘッドマウントディスプレイ**（HMD：Head Mounted Display）（図1.26）を用いることで，360°取り囲む映像やサラウンド効果による音響など，より高品質な知覚情報が与えられる。それにより，あたかもその場にいるかのような臨場感や没入感を得ることができる。

[2] AR（拡張現実）／AV（拡張仮想）

　VRに関連して，現実世界の物体の形状や位置を高精度に計測する技術が進み，仮想世界と現実世界を継ぎ目なしに結合させるさまざまな技術が開発されている。ユーザが存在する空間や視点の情報を計測し，現実世界に合わせて3次元CGやテキストデータを重畳することで，現実世界を追加の情報で増強する技術を**オーグメンテッドリアリティ**（AR：Augmented Reality）

とよぶ。図1.27にARの活用例を示す。スマートフォンのカメラで撮影している実際の映像に，画像データが合成され，目的地までの道案内がリアルタイムに表示されるアプリである。図1.28は，ユーザがキャラクタのイラストを紙やホワイトボードに実際に描き，スマートフォンで撮影すると，そのキャラクタが画面内で起き上がり，自由に動き出すアプリである。

■図1.27――ARの活用例「Yahoo! MAP」
（提供：ヤフー株式会社）

■図1.28――ARの活用例「らくがきAR」
（提供：Whatever）

また，コンピュータで作成した仮想世界にユーザが存在する現実世界の情報，たとえばユーザの位置や動きを取り込んで仮想世界を補強する技術を**オーグメンテッドバーチャリティ**（AV：Augmented Virtuality）とよぶ。

［3］MR（複合現実）

ARとAVの2つの技術を総称し，現実世界のデータとコンピュータで生成されるデータとを継ぎ目なく組み合わせて人間に提示する技術の概念を**ミックスドリアリティ**（MR：Mixed Reality）とよぶ。図1.29は，現実世界で実際に装置を設置する場所で，ユーザが装着したHMD上に3次元CGで構築した装置を現実世界に合わせて実物大で表示している。ユーザは装置の操作や作業環境の検証を行うことで作業性や安全性を確認することができる。

これまでに解説したVR，AR，AV，MRなどの現実世界と仮想世界との融合技術の総称を**クロスリアリティ**（xn）[13]とよぶ。

*13
エクステンデッドリアリティ（Extended Reality）ともよばれる。

■図1.29――MRの活用例「MREAL」（提供：キヤノンITソリューションズ株式会社）

1-3-4　記号要素

　情報をわかりやすく伝達するために**記号**が用いられる。数学や化学で使われる記号だけでなく，話し言葉や書き言葉，絵文字，楽譜，図面，地図，交通標識，足跡，身振り，表情，さらには製品，建築，衣服，印刷物，映像，音楽もまた記号とみなすことができる。

*14 SNSについては，5-3-1を参照のこと。

　記号は，たとえば他者とSNS[14]でやりとりをする際に，メッセージに絵文字を付加することで，文字で表現しきれない多彩でかつ微妙な感情を伝えることができる。また海外で言葉がわからなくても，アイコンから直感的に意味を理解したり，地図から目的地までたどり着いたりすることができる。

[1] ピクトグラム

　情報を絵文字にしたものを**ピクトグラム**とよぶ。言葉を用いずに一目で意味を理解させることを目的としている。駅や空港，博覧会，競技会などの公共空間における誘導・案内から，書籍や新聞などにおけるインデックス，機械操作のための表示まで，さまざまな分野で利用されている（図1.30）。

■図1.30——ピクトグラムの例

[2] ダイヤグラム

　図や線，点，文字などを組み合わせて，ものごとを視覚的に表現したものを**ダイヤグラム**[15]とよぶ。歴史や観念的な思考，行為や分子構造など目に見えないものをビジュアルで表現することで，その構造を直感的に理解する際に効力を発揮する。図1.31にダイヤグラムの例を示す。時間の変化と電車の運行を組み合わせた交通ダイヤグラムや，ネットワークで表された列車の路線図などがある。なかでも，空間的あるいは概念的な位置関係を俯瞰できるようにしたものを地図とよぶ。

*15 ダイアグラムとも表記する。

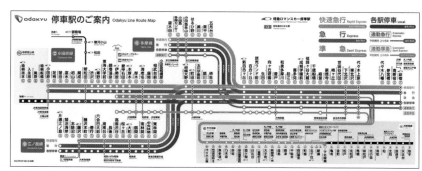

■図1.31——ダイヤグラムの例「小田急線路線図」
（提供：小田急電鉄株式会社）

2

コンテンツ制作のための メディア処理

マルチメディアを用いた制作物は，ディジタルコンテンツとよばれ，コミュニケーションの媒体として人に提示される。またインターネットを経由して提示される場合は，WebコンテンツまたはWebページなどとよばれる。ここでは，こうしたコンテンツを実際に制作し，表示するための技術や基礎知識，コンテンツ制作に必要なアプリケーションソフトウェアについて解説する。

2-1
ファイル

PCを利用していると，さまざまなファイルを扱うことになる。ファイルは作成されたアプリケーションソフトウェアと関連付けられているため，ユーザはファイルを開くときに作成元のアプリケーションソフトウェアを探す必要はない。ここでは，そうしたファイルのしくみについて解説する。

2-1-1　ファイルとファイルフォーマット

ファイルはデータをまとめて保存するためのしくみであり，記録媒体ではデータがこのしくみを用いたかたちで保存されている。このファイルをまとめて配置するためのしくみを**ディレクトリ**または，**フォルダ**とよぶ。

それぞれのファイルは，データを記録する際の決まりごとである**ファイルフォーマット**（**ファイル形式**）により，図2.1，図2.2のように，そのファイルがどのアプリケーションソフトウェアで作成され，利用することができるのかがすぐにわかるようになっている。ファイルフォーマットはOSにとらわれることなく定義されており，これによって異なるOS間でもファイルのやりとりが可能になっている。

2-1-2　ファイルの関連付け

フォーマットにより何の種類のファイルが定義されているか，それをどのアプリケーションソフトウェアで開くのかをあらかじめ決めておくことを関連付けとよぶ。たとえば「Windows」の場合は".txt"の**拡張子**が付くテキストファイルは，標準では「メモ帳」とよばれるテキストエディタで開くように関連付けが行われている。この関連付けにより，ユーザはどのアプリケーションソフトウェアを利用すればよいのか考えなくても，ファイルを開くだけで自動的に最適なアプリケーションソフトウェアが実行される。

2-1-3　ファイルの圧縮

ファイルを一定の決まりに沿って符号化することにより，ファイルサイズを削減することをファイルの**圧縮**とよぶ。ファイルを保存するSSDやHDD，USBメモリなどの使用容量を節約したり，ネットワークを通じてファイルを送信する際にかかる時間を短くしたりするなどの目的で行われる。また圧縮したファイルを元に戻す処理を**展開**とよぶ。

圧縮のしくみは，可逆圧縮と非可逆圧縮の2つに分類できる。圧縮したファイルを展開した場合に，圧縮前とまったく同じデータが再現されるように圧縮を行うしくみを**可逆圧縮**とよび，ZIP形式やLZH形式などがある。

■図2.1——
テキストファイルの
アイコン

■図2.2——
音声ファイルの
アイコン

一方，圧縮前の元のデータには完全に戻すことができない圧縮方式を**非可逆圧縮**とよぶ。画像の圧縮方式の1つであるJPEGの非可逆圧縮では，人間の眼には判別しにくい部分のデータを省くことによって，ファイルサイズを大幅に削減している。一般に非可逆圧縮のほうが可逆圧縮よりも削減できる量は大きい（圧縮率が高い）。

可逆圧縮によって画像ファイルのサイズを小さくする際に用いられるしくみの例を図2.3に示す。たとえば画像内において同一色の画素が連続する場合，画素の色情報を1つひとつ記録するのではなく，同じ色情報をもつ画素がいくつ並んでいるかを数えて色情報と組で記録すれば，多くの場合，元のデータよりもサイズを小さくできる。

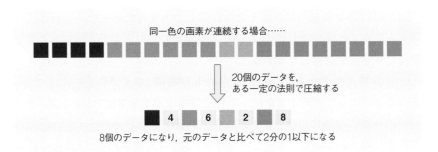

同一色の画素が連続する場合……

20個のデータを，
ある一定の法則で圧縮する

8個のデータになり，元のデータと比べて2分の1以下になる

■図2.3──圧縮のしくみの例

圧縮のしくみをもつファイル形式は，音声や動画でも利用されている。音声ではAACやMP3[*1]が広く使われており，いずれも人間の耳では聞き取りにくい部分のデータを減らすことでファイルサイズを削減する。

*1　AACやMP3，JPEGは本来は圧縮方式の名称であるが，その方式（しくみ）を用いて圧縮されたデータのファイル形式の呼称としても用いられている。

2-1-4　ファイルのアーカイブ

複数のファイルを圧縮して1つにまとめて**アーカイブ**とよばれるファイルを新たに作成したり，アーカイブから，圧縮されて内部にまとめられている元のファイルを取り出す（展開する）処理を行ったりするためのアプリケーションソフトウェアを，**アーカイバ**とよぶ。アーカイバを作成する処理を行うことを，アーカイブする，ということもある。代表的なアーカイブのファイル形式を表2.1に示す。

■表2.1──代表的なアーカイブのファイル形式

名称	拡張子	特徴
ZIP形式	.zip	「Windows」や「macOS」で標準的に利用できるアーカイブ形式。別途アプリケーションソフトウェアを追加しなくてもアーカイブできる。ZIP形式のファイルアイコンを図2.4に示す。
LZH形式	.lzhまたは .lha	「Windows」で一般的なアーカイブ形式。アーカイブに必要なアプリケーションソフトウェアをインストールすることで利用できるようになる。

■図2.4──
ZIPファイルの
アイコン

2-2

文書の作成

私たちの身の回りでは，レポートや事務書類，発表で使用する資料など，さまざまな文書が利用されている。現在では，私たちはそれらをPCで作成するようになり，作成しようとする文書の種類に応じてアプリケーションソフトウェアを選ぶ必要がある。

2-2-1　書体とフォント

　文字は言語を視覚的に表示したり記録したりするために用いられる記号である。文字を読みやすく，また美しく見せるために，文字の形や大きさを選んだり配置を設定したりする。

　一定の様式でデザインされた文字の形を**書体**（**タイプフェイス**）とよび，その書体によってデザインを統一した文字のセットを**フォント**とよぶ。書体の種類は膨大な数にのぼり，文書の本文や見出しなどのデザインに常用される重要なものである。アルファベットと数字（英数字）を含む書体を欧文書体とよび，それらに加えて，かな，漢字を含む書体を和文書体とよぶ。

　文章を構成し，書体を選んで表示しようとする際に考慮すべき3つのポイントとして，文章の読みやすさを表す可読性，見やすく確認がしやすい文章かどうかを表す視認性，誤読を招くような文章がないかどうかを表す判読性をあげることができる。

[1] 欧文書体

　欧文書体は，文字を構成する線の先端にセリフとよばれる装飾があるセリフ体と，セリフのないサンセリフ体に分けられる。[*2]

　セリフ体は，縦線と横線の太さに差があり，メリハリのある形状のため可読性に優れている（図2.5）。そのため，新聞や書籍などの本文に使用されることが多い。

*2
サンセリフ（Sans-serif）のサン（Sans）は，フランス語で「〜なしで」の意味をもつ。

セリフ体の特徴

セリフ｀Typeface

線の先端に小さな飾り（セリフ）がある。
縦線と横線の太さが異なり強弱がある。
可読性に優れている。

代表的なセリフ体の書体

Typeface　Garamond（ギャラモン）

Typeface　Bodoni（ボドニ）

Typeface　American Typewriter
（アメリカン・タイプライター）

■図2.5——セリフ体

　サンセリフ体は，縦線と横線の太さが一定で，シンプルな形状のため視認性に優れている（図2.6）。そのため，道路標識などに使用されることが多い。

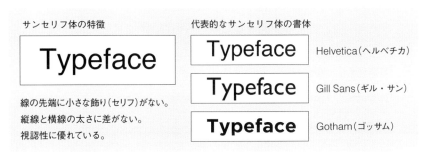

サンセリフ体の特徴
Typeface
線の先端に小さな飾り(セリフ)がない。
縦線と横線の太さに差がない。
視認性に優れている。
代表的なサンセリフ体の書体
Typeface
Helvetica(ヘルベチカ)
Typeface
Gill Sans(ギル・サン)
Typeface
Gotham(ゴッサム)

■図2.6——サンセリフ体

[2] 和文書体

和文書体は，文字を構成する線の先端に**うろこ**[*3]とよばれる装飾が付けられていて，縦線と横線の太さが異なる**明朝体**(図2.7)と，縦線と横線の太さが一定で，うろこがない**ゴシック体**[*4](図2.8)に分けられる。明朝体は欧文書体のセリフ体，ゴシック体はサンセリフ体に相当する書体となる。

*3 欧文書体のセリフに相当するもので，ひげともよばれる。セリフをうろこやひげとよぶこともある。

*4 ゴシック体のフォントの一部には，うろこがあるような例外も存在する。

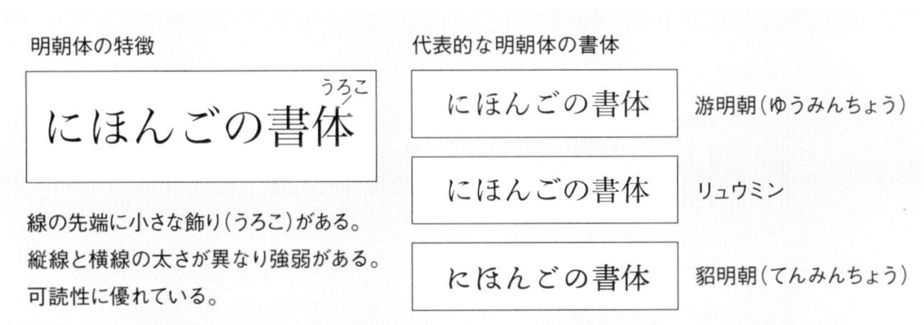

明朝体の特徴
うろこ
にほんごの書体
線の先端に小さな飾り(うろこ)がある。
縦線と横線の太さが異なり強弱がある。
可読性に優れている。
代表的な明朝体の書体
にほんごの書体
游明朝(ゆうみんちょう)
にほんごの書体
リュウミン
にほんごの書体
貂明朝(てんみんちょう)

■図2.7——明朝体

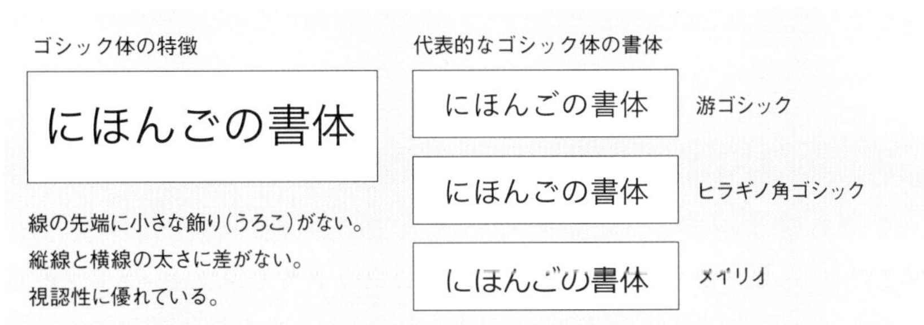

ゴシック体の特徴
にほんごの書体
線の先端に小さな飾り(うろこ)がない。
縦線と横線の太さに差がない。
視認性に優れている。
代表的なゴシック体の書体
にほんごの書体
游ゴシック
にほんごの書体
ヒラギノ角ゴシック
にほんごの書体
メイリオ

■図2.8——ゴシック体

2-2-2 フォントファミリ

同じコンセプトに基づいて作成された，文字の太さ(ウェイト：Weight)，文字の幅(ウィドゥス：Width)，斜体(イタリック：Italic)などのバリエーションをもった書体群を，**フォントファミリ**とよぶ。バリエーションの種類は，書体によって異なる(図2.9)。

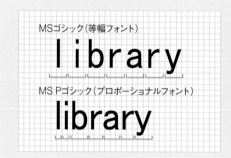

Helvetica Neue
（ヘルベチカ・ノイエ）

Typeface	Typeface	ypeface	Typeface	Typeface	Typeface
Typeface	*Typeface*	*Typeface*	*Typeface*	*Typeface*	*Typeface*
Typeface	**Typeface**				

■図2.9——フォントファミリの例

2-2-3　等幅フォントとプロポーショナルフォント

　フォントには，すべての文字の幅が同じ**等幅フォント**と，文字ごとに幅が異なる**プロポーショナルフォント**がある（図2.10）。等幅フォントは文字数の比較がしやすいためプログラムコードなどに適しており，プロポーショナルフォントは可読性に優れているため，長い文章などに適している。

MSゴシック(等幅フォント)

library

MS Pゴシック(プロポーショナルフォント)

library

等幅フォントの特徴
・文字の幅がすべて同じ。
・文字数がわかりやすい。
・プログラムコードに適している。

プロポーショナルフォントの特徴
・文字ごとに幅が異なる。
・可読性に優れている。
・長い文章に適している。

■図2.10——等幅フォントとプロポーショナルフォント

2-2-4　ビットマップフォントとアウトラインフォント

　文字の形状をディジタルデータとして扱うディジタルフォントには，図2.11［a］の**ビットマップフォント**と［b］の**アウトラインフォント**の2種類がある。［a］は文字を点（ドット）で記述したフォントであり，［b］は文字の輪郭上の特徴点の間を直線や曲線で結び，その輪郭線（アウトライン）で形状を記述したフォントである。

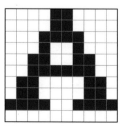

［a］ビットマップフォントの表現　　［b］アウトラインフォントの表現
■図2.11——フォントの表現の違い

2-2-5　文字コード

コンピュータで文字や記号を扱うために，表現する文字や記号それぞれ
に異なる固有の数値（番号）である**文字コード**が体系的に割り当てられてい
る。電子メールやWebページを表示した際に，図2.12のように日本語の文
字が意味不明の記号や文字に変わってしまうことがあるが，これには文字
コードが関係している。多数存在する文字コードの体系のうち，基本となっ
ているものが**ASCII**（American Standard Code for Information Interchange）**コード**であ
る。ASCIIコードでは，アルファベットと数字，特殊記号などに7ビットの
数値（0から127までの範囲内の番号）が割り当てられている。しかし日本
語の漢字やひらがな，カタカナは種類が多いため，各文字に対しておもに
2バイト（16ビット）の数値（0から65,535までの範囲内の番号）を割り当て
る方法による文字コードが制定されてきた。実際に広く使われてきたのが，
以下の3つである。

*5
文字化けとよぶ。

（1）**JIS漢字コード**
（2）**シフトJISコード**（Shift_JIS Code）
（3）**EUC-JP**（Extended UNIX Code-JP）

*6　ここでの符号
化は，文字に割り当て
られた番号をビット
列で表すことを指す。

図2.12は，シフトJISによるあるWebペー
ジをEUCとして，図2.13は同じページをシ
フトJISとして表示したものであり，このよう
に正しい文字コードが選択されていないと
文字化けが生じる。

さらに，日本語だけでなく多言語の文字
を単一の文字コードで取り扱うために用意
されたものがUnicodeである。PCやスマート
フォンの主要なOSで文字情報の内部処理
に用いられており，文字を扱う多くのアプリ
ケーションソフトウェアが対応するようにな
るなど，世界的に普及が進んでいる。また，
Webでの利用も広がっている。Unicodeで
は多くの絵文字も文字と同様に扱うことがで
きる。Unicodeを符号化するにあたっていく
つかの方式があるが，現在ではASCIIコード
と互換性をもつ**UTF-8**が最も広く利用されて
いる。

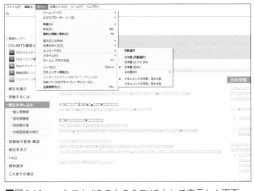

■図2.12——シフトJISのものをEUCとして表示した画面

■図2.13——シフトJISとして正しく表示した画面

chapter

2

2-**5**

文書の作成

029

2-2-6　文書を扱うアプリケーションソフトウェア

　アプリケーションソフトウェアは，作成する文書の種類に応じて，適切にそれらを使い分ける必要がある。ここでは，文書を扱うさまざまなアプリケーションソフトウェアについて解説する。また，図2.14～図2.19に例を示す。

[1] テキストエディタ

　テキストエディタは，文章の入力のみに注力したアプリケーションソフトウェアである。動作が非常に軽快なため，後述するワープロソフトやDTPソフトでレイアウトする文章の下書き用として利用されることが多い。[*7]

■図2.14——テキストエディタの例

[2] ワープロソフト

　ワープロソフトは，PCでの書類の作成に使用される。文章の入力だけでなく，フォントの種類やサイズ，色などの変更や，図の挿入，図形の描画などができ，タイトルや本文など，内容に応じて紙面をデザインすることができる。WYSIWYGで書類を作成できることも特徴である。[*8]

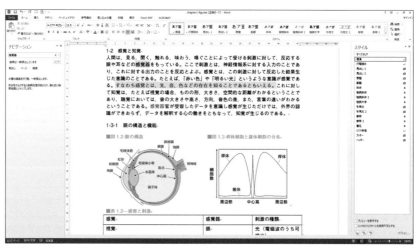

■図2.15——ワープロソフトの例「Microsoft Word」

[3] PDF作成ソフト

　PDF作成ソフトは，ワープロソフトやDTPソフトで制作したページのデータを，紙に印刷した場合とほぼ同じ見た目をもつPDFファイルに変換できる。PDF（Portable Document Format）は紙を用いることなく，文書を電子的に配布したり保存したりするためのフォーマットである。[*9]作成されたPDFファイルには，文字情報だけでなく，フォントや文字の大きさ，文字飾り，埋め込まれた画像などの情報が保存されており，OSなどに左右されずに同じ内容を別の環境で再現できる。

*7　ワープロソフトの場合，画像などを挿入することで，わかりやすい書類の作成が可能であるが，挿入した画像の分だけファイルサイズが大きくなってしまい，PCの性能によっては動作が遅くなる場合がある。

*8　"What You See is What You Get"の略。コンピュータの画面で見えているものと，印刷して得られるものとが同じようすであること。

*9　アドビ社が開発し，2008年に国際規格となった。PDFファイルの閲覧を目的とした「Adobe Acrobat Reader」が無料で提供されている。コメントの入力や，ファイルの一部を編集できる機能がある。

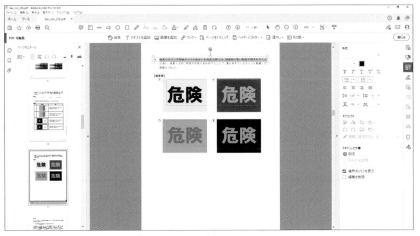
■図2.16──PDF作成ソフトの例「Adobe Acrobat」

[4] DTPソフト

DTP(DeskTop Publishing)[*10]ソフトは，文章や図，写真などが配置された，印刷物作成用のディジタルデータの編集を目的とする。素材をレイアウトし，文書を作成するという点では，高機能ワープロソフトと基本的に同じ機能をもつが，本格的な製版，印刷までの工程に対応しており，精度の高いレイアウトが可能で，版下や印刷用の製版フィルムの出力にも対応できる。現在では本や雑誌の制作に欠かせないものとなっている。

＊10 PCを用いて印刷物作成用のディジタルデータを制作する工程のこと。

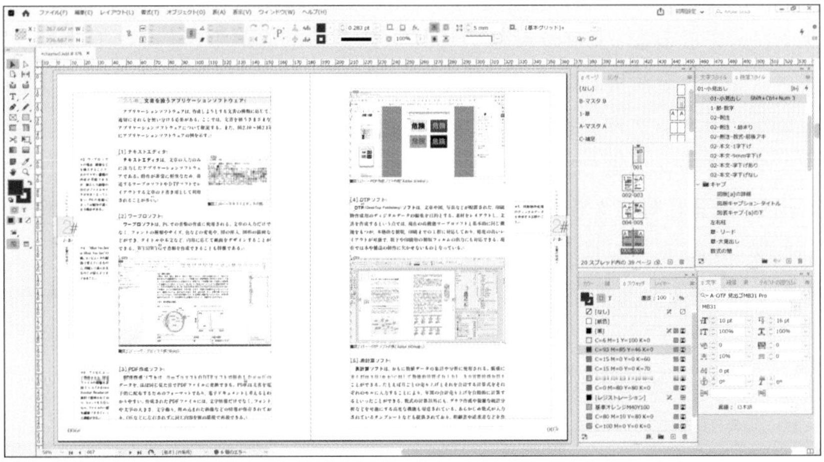

■図2.17──DTPソフトの例「Adobe InDesign」

[5] 表計算ソフト

表計算ソフトは，おもに数値データの集計や分析に使用される。縦横に並んだセルとよばれるマス目に対して数値や計算式を入力し，その計算結果を得ることができる。たとえば月ごとの売り上げと，それを合計する計算式をそれぞれのセルに入力することにより，年間の合計売り上げを自動的に計算するといったことができる。数式の計算以外にも，グラフ作成や複雑な統計分析などを可能にする高度な機能も用意されている。あらかじめ数

式が入力されているテンプレートなども提供されており, 明細書や請求書
などを作成する際に広く利用されている。作成されたスプレッドシートは,[*11]
CSV形式やXML形式のデータに変換して保存することも可能で, ワープ
ロソフトなど, ほかのソフトに読み込んでデータを活用できる。

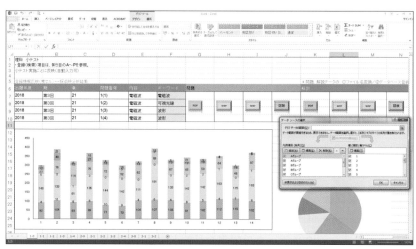

■図2.18——表計算ソフトの例「Microsoft Excel」

[6] プレゼンテーションソフト

　プレゼンテーションソフトは, 発表(プレゼンテーション)の場で使われる
視覚資料(スライド)や提案資料などの作成に特化したアプリケーションソ
フトウェアである。文章の入力や, 図形・画像の配置ができるだけでなく, ア
ニメーションを活用した演出を施したり, 動画を挿入したりするなど, より印
象的なプレゼンテーションを行うための機能が豊富に用意されている。プレ
ゼンテーションの場では, 作成したスライドをプロジェクタなどで大きく映
し出し, 聴衆に見てもらうことが一般的になっている。さらにスライドを印刷
したり, Webページに変換したりする機能をもつプレゼンテーションソフト
もあり, 作成した文書を配布用や公開用の資料として活用することもできる。

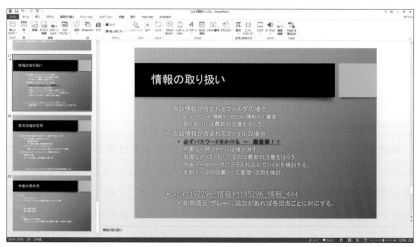

■図2.19——プレゼンテーションソフトの例「Microsoft PowerPoint」

2-3
音声

人の会話の声や楽器の演奏音などをマイクロフォンでとらえたアナログ信号を，ディジタルデータに変換してPCやスマートフォンに取り込むと，再生ばかりでなく，編集やミキシングを行うことができる。ここでは，音のディジタル化や音声データの編集などについて解説する。

2-3-1　音のディジタル化

音声[*12]をアナログからディジタルに変換するために，アナログ信号の強さを一定の時間間隔で採取することを**サンプリング**（**標本化**[*13]）とよぶ。この採取を1秒間に何回行うかは**サンプリング周波数**で表され，単位はヘルツ（Hz）である。サンプリング周波数が大きいほど，音質は向上する。一般的な音楽CDのサンプリング周波数は44.1kHzである。

単位時間あたりにデータが伝送または処理される量を，ビットレートとよぶ。音声データの場合，1秒あたりの音声を表現（符号化）するのに要するデータの量を，bps（bits per second）という単位で表したものである[*14]。たとえばMP3形式の音声データでは，128kbpsが標準的である。

[1] 音声データのファイル形式

表2.2に代表的な音声データのファイル形式を示す。このうちMP3，AAC，WMAは本来は音声の圧縮方式の名称であるが，その方式で圧縮された音声データのファイル形式の名称としても用いられている。MP3（MPEG-1 Audio Layer-3）は，MPEG-1[*15]の音声部分（オーディオ）の圧縮方式の1つ（レイヤ3）である。WAVEとAIFFは音声データの**コンテナ**[*16]のファイル形式で，非圧縮の形式のデータを格納するファイルによく用いられる。

■表2.2——代表的な音声データのファイル形式

名称	拡張子	特徴
MP3	.mp3	現在主流となっている音声データの圧縮方式。音楽CD程度の音質のデータを，聴覚上の音質をほとんど損なうことなく1/10〜1/12程度の量に圧縮できる。
AAC	.aac	MPEG-2[*15]やMPEG-4[*15]などで用いられている音声データの圧縮方式。MP3よりも圧縮性能が高い。
WMA	wma	マイクロソフト社が開発した音声データの圧縮方式。MP3に匹敵する聴覚上の音質を，1/2程度のデータ量で実現する。
WAVE	.wav	「Windows」標準の音声データのコンテナのファイル形式。
AIFF	.aif, .aiff	「macOS」標準の音声データのコンテナのファイル形式。

*12 「音声」という用語は，人の声を指す場合と，耳で聞くことができる「音」全般を指す場合があるが，この節では「音」全般として用いている。

*13 標本化については1-1-3を参照のこと。

*14 音声データのビットレートは音質を表す指標の1つとして用いられ，一般に高い（値が大きい）ほど高音質になる。

*15 MPEG-1，MPEG-2，MPEG-4は，いずれもISO（国際標準化機構）とIEC（国際電気標準会議）の合同の専門家委員会MPEGの制定による，音声と動画の圧縮方式の国際標準規格である。

*16 音声データや画像データを内部に格納するための，入れ物としての役割をもつファイル。2-5-2を参照のこと。

[2] 音声データの再生

音声データの再生には，プレーヤソフトを利用する。通常，プレーヤソフトは各種のファイル形式のデータに対応しており，再生，早送り／巻き戻し，ミュートなどの操作を行えるだけでなく，内容が音楽である音声データファイルの管理に便利な機能をもつものが多い。たとえば，好きな曲のファイルを選んでプレイリストを作成し，その順番で自動再生することができる。

2-3-2 音声の録音と編集

コンピュータによる録音とは，マイクロフォンなどからのアナログ信号をディジタル化することによって音声データ（オーディオデータ）として取り込み，さらにファイルとして保存することである。

PCで録音を行う場合，内蔵のマイクロフォンでは性能が低かったり電源ノイズの影響を受けやすかったりする。高音質な録音のためには，外部マイクロフォンの使用や，高性能なサウンドカード[*17]の導入，外付けのオーディオインタフェース[*18]の利用などの配慮が必要となる。

波形編集ソフト[*19]を利用すると，PC上で音声データ（オーディオデータ）の取り込みから，編集，再生，ファイル保存までを一貫して行うことができる。音声データ（オーディオデータ）を波形として表示し，音程，音量，音色の3つの要素を視覚的に扱えるようにしたものである。波形を操作することで，ディジタルエコーなどのエフェクトをかけたり，音を切り貼りしたり，フェードインやフェードアウト，ループ[*20]などの加工や編集ができる。また，複数の音声のミキシングも可能であり，たとえば，ナレーションと楽器演奏とを別々に録音したデータを用意し，ナレーションのBGMとして演奏が聴こえるように，音量やタイミングを調整することができる。

2-3-3 DTM

PCを使用した音楽制作全般を**DTM**[*21]（DeskTop Music）とよぶ。**MIDI**（Musical Instrument Digital Interface）は，電子楽器やコンピュータなどの間で演奏情報をやりとりするための統一規格である。演奏情報[*22]のデータ（MIDIデータ）を受け取ったMIDI音源がそれに従って音を鳴らすしくみで，MIDI音源には電子楽器の内部に組み込まれたものや，単体の専用装置，PC上に実装されたものなどがある。MIDIデータは電子楽器の演奏によって作成して保存できるほか，MIDIシーケンサ[*23]を用いてPCで作成や読み込み，編集，MIDI音源への送信による再生（自動演奏）などができる。最近では，MIDIシーケンサと波形編集ソフトの機能をあわせもつ**DAW**（Digital Audio Workstation）を利用したDTMが広く行われている（図2.20）。

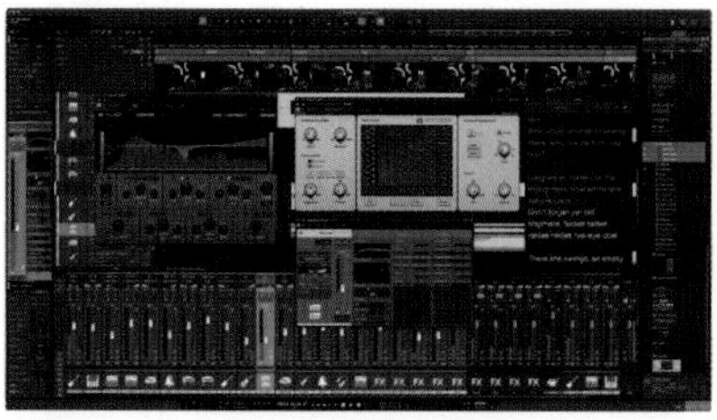

■図2.20――DAWの例「Studio One®」
（提供：株式会社エムアイセブンジャパン）

*17 音声信号のアナログ／ディジタル変換による入出力の処理を担う拡張カード。

*18 PCと，マイクロフォンや電子楽器，スピーカなどを接続して使用する，アナログ／ディジタル変換による音声信号の入出力やミキシングなどの機能をもつ装置。

*19 音声の波形を見ながら，音声データに対してさまざまな処理や加工ができるアプリケーションソフトウェア。

*20 短い音楽フレーズの繰り返し。

*21 PCで印刷物を制作するDTPに倣った和製英語。

*22 音の高さ，大きさ，長さと音色や音響効果を数値化したもの。

*23 MIDIシーケンサには，PC上で動作するアプリケーションソフトウェアのほか，ハードウェア製品もある。

2-4

画像

ディジタル画像には，どのような方法で画像を数値で表現するのかによって性質の異なるおもな2つの形式があり，目的に応じて使い分けられている。ここでは，まずディジタルデータによる画像の表現について説明し，つぎに画像の加工に役立つアプリケーションソフトウェアについて解説する。

2-4-1　ディジタル画像の表現形式

　コンピュータで画像を扱うためには，画像をディジタル化して数値データで表す必要がある。コンピュータ上で画像を表すためのおもな形式として，ラスタ形式とベクタ形式の2つがある。図2.21に示す**ラスタ形式**[*24]では画像全体を格子状に並んだマス目に分割し，それらのマス目を最小単位として，各マス目の色を数値データ化する。この画像の最小単位のマス目を**画素**または**ピクセル**とよぶ。

2

4-1

画像

■図2.21──ラスタ形式の画像の例

[a] 1ビットとした場合（2色）

[b] 8ビットとした場合（256色）

■図2.22──1画素を1ビットと8ビットとした画像

　各画素で数値データに割り当てるビット数（画素ごとのデータ量）によって，画像を何種類の色で表現できるかが決まる。図2.22 [a]は1画素あたり1ビットとした場合，[b]は1画素あたり1バイト，すなわち8ビットとした場合の例である。1ビットでは0か1かの2種類の色（黒か白か）でしか表現できない。一方，8ビットでは256種類の色で画像を表現できる。[b]の画

像では，黒から灰色，白までの256段階の濃淡を，0から255までの数値データで表している。カラー画像では，1画素あたりに3バイト（24ビット）を割り当てる例が多い。この場合，光の三原色である赤，緑，青の光の強さ（濃淡）を，それぞれ1バイト（256段階）の数値データで表している。[25]

＊25 ディジタル画像における色の表現については，2-4-3を参照のこと。

　ラスタ形式は，画像を画素の集まりとして表現しており，ディジタルカメラによる撮影で得られるような画像を扱う際に適している。解像度が低い場合や拡大した場合には，画素の形状が目立つようになり，輪郭（色の境目）がギザギザに見えたりすることがある。

　一方，**ベクタ形式**では，画像を図形で表現する。具体的には，点の座標とそれを結ぶ線や面の方程式のパラメータ，および塗りつぶしや特殊効果などの描画情報の集合として画像を表現する。たとえば図2.23の三角形を描画する場合は，その形状を座標値として表す。つまり三角形を頂点の集まりととらえ，それらを x, y の座標値で表現することによって数値化する。図2.24に示すようなベクタ形式のデータで表現された画像の拡大や縮小では，座標値の再計算のあとに描画されるため，画質が劣化せず，配色変更や図の部分的な選択なども正確に再現できる。そのため，ロゴマークやアイコン，説明図や図解に用いられるイラストなど，線や面の輪郭がはっきりした画像に向いている。反面，写真や風景画など，線や図形の組み合わせで表現することが難しい画像には不向きである。

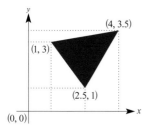

■図2.23——ベクタ形式による図形の表現

■図2.24——ベクタ形式の画像の例

2-4-2　解像度

　画像データを印刷する際には**解像度**が重要となる。解像度は一般に**dpi**（dots per inch）という単位を用いて表される。[26] これは1インチにどれだけの数の**ドット**（画素）が並んだ形で画像が構成されるかを示している。画像の解像度が低い（dpiの値が小さい）とそれだけドット数が少なくなり，印刷すると粗く見えてしまう。高精細に印刷したい場合は高い解像度の画像を用意する必要があるが，その分データ量が増えるためファイルサイズが大きくなる。

＊26
1インチ＝2.54cmである。

2-4-3　画像における色の表現

　ディジタル画像やコンピュータで色の情報を扱う多くの場合に，光の**三原色**である赤（Red），緑（Green），青（Blue）の**RGB**の**加法混色**に基づく色の表現方法が用いられる。図2.25[a]は加法混色のようすを示した図で，RGBの3つのスポットライト（色光）で，互いに重なるように白い壁を照らしたところと考えるとよい。色光が重なっている部分で**混色**が生じて（色が混ざっ

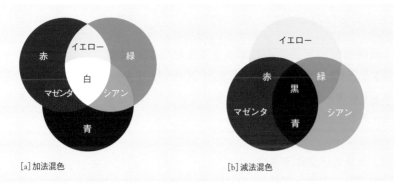

|[a] 加法混色|[b] 減法混色|

■図2.25──三原色による混色

て）おり，中央部分では3色の混色により白になっている。

　RGBの色光を3つとも最強にすると，この図のように中央部分は白になるが，それぞれの色光の強さを適宜調整すると，中央部分にさまざまな色をつくり出すことができる。この原理に基づいて，ある色をつくり出すのに必要となる各色光の強さを数値データとして表現する方法がとられている。光の強さを0から255までの256段階の数値データとして扱うのが最も一般的であり，この場合，RGBの光の強さの組み合わせにより，表現できる色は256×256×256＝16,777,216通り（約1,670万色）となる。これを**フルカラー**とよぶ。フルカラーはトゥルーカラーとよばれることもある。

　図2.26はフルカラーの画像の例で，矢印で示した2カ所について，画素の色と，その色の数値データを示している。この図の例でもわかるように，RGBの値から，それがどのような色を表しているのかを認識するのは人間にとって容易でないため，色の選択や調整をこれらの値に基づいて行うのは直観的でなく難しい。そこで色相（Hue），彩度（Saturation），明度（Intensity）の3つの尺度[*27]によるHSIの数値に変換し，明度や彩度などの調整や処理を行って，再びRGBの値に戻してディスプレイモニタの表示に用いたり，画像データとして保存したりするなど，人間の視覚特性に応じた色の表現がなされることもある。

　一方，印刷物に使われるディジタル画像やプリンタなどでは，色材（色料）の三原色であるシアン（Cyan），マゼンタ（Magenta），イエロー（Yellow）のCMYの**減法混色**に基づく色の表現方法が用いられる。図2.25 [b]は減法混色のようすを示している。この場合，ある色をつくり出すのに必要となるCMYの各原色の濃さを示す3つの値によって表現することができる。

しかし，実際のプリンタによる印刷では，CMYの色材（インクやトナーなど）だけでは完全な黒が表現しにくく，黒（Key plate）を加えたCMYKの4つの色の濃さを数値データとする表現が行われている。濃さの値は0から100まで（パーセンテージ）で表すことが多く，値が小さいほど白に近い色となる。

*27 色相，彩度，明度については，1-2-1を参照のこと。

(223, 170, 164)

(111, 120, 99)

■図2.26──フルカラーの画像の例

　画像の使用目的に応じてさまざまな加工や補正，編集を施すことを**レタッチ（フォトレタッチ）**とよぶ。レタッチは，「Adobe Photoshop」などのフォトレタッチソフトやペイント系ソフトで行う[*28]。ここでは，代表的なレタッチの手法について解説する。

[1] トリミングとマスク

　画像内の必要な部分だけを切り出す作業を**トリミング**とよぶ。画像のなかで強調したい部分をより明確にしたり，画像の形を変えたい場合などにトリミングを行う。たとえば，SNSのユーザアイコンなどに画像を使用する際に，正方形や円形にトリミングをすることがある（図2.27）。

　画像内の不要な部分を隠し，被写体を切り抜いたように見せたり，背景画像と合成したりする際には**マスク**を用いる。マスクには用途に応じたさまざまな手法があるが，図2.28では，切り抜きたい被写体をブラシツールで[*29]なぞり，必要な部分のみを表示させた例である。

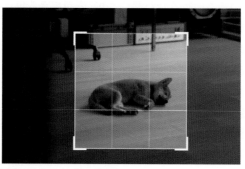

■図2.27——トリミングの例
画像の一部分をトリミングによって正方形に切り出して被写体を強調している。

■図2.28——マスクの例
マスクによって必要な部分のみを表示している。

[2] 明るさの補正

　画像が明るすぎたり，暗すぎたり，コントラストが不足していたりする場合は，フォトレタッチソフトを用いて，以下に示すように明るさに関するパラメータを操作することで改善できる。

　おもに写真を撮影する際に取り込まれる光の量（露光量）のことを**露出**と

*28 ブログやSNSに用いる写真などの簡易的な編集であれば，スマートフォンなどに標準で搭載されている写真編集アプリなどでも行える。

*29 実際に筆で絵を描く際の筆圧や太さ，質感などを再現した手描き用のツール。ペイント系ソフトの多くに搭載されている。描画以外にも選択範囲を指定する際に用いられることも多い。

chapter

2

4-4

画像

よぶ。フォトレタッチソフトでは，画像中の光の量を擬似的に増減させることで画像全体の明るさを調整することができる（図2.29）。

［a］操作をしていない状態　　　　　［b］露光量を高くした画像　　　　　　［c］露光量を低くした画像
■図2.29——露出（露光量）の調整

　画像内の明るい部分と暗い部分の差（明暗差）のことを**コントラスト**とよぶ。コントラストを強くすると，明るい部分はより明るく，暗い部分はより暗くなり，コントラストを弱くすると，明暗の差が少なく全体的にぼんやりとするため，画像全体のトーンを調整できる（図2.30）。

［a］操作をしていない状態　　　　　［b］コントラストを強めた画像　　　　［c］コントラストを弱めた画像
■図2.30——コントラストの調整

　画像内の暗い部分（暗部）のことを**シャドウ**，明るい部分（明部）のことを**ハイライト**，その中間を**中間調**とよぶ。シャドウは画像内の黒に近い暗い部分だけを，中間調は画像内の中間の明るさの部分だけを，ハイライトは白に近い明るい部分だけを調整できる（図2.31）。

［a］操作をしていない状態　　　　　［b］シャドウを補正（明るく）した画像　　［c］ハイライトを補正（暗く）した画像
■図2.31——シャドウ／ハイライトの調整

　トーンカーブを操作することによって，画像の明るさやコントラストを柔軟かつ複合的に変化させることができる。トーンカーブは，なだらかに変化するカーブで，原画像の各画素（ピクセル）の明るさを横軸に，補正後の画素の明るさを縦軸にとっている。とくに何も操作をしていない状態では，

図2.32［a］のように斜め45°の直線となる。［b］に明るさを調整した例，［c］にコントラストを調整した例を示す。

横軸に画素値（画素の明るさ）を，縦軸にそれぞれの画素値の頻度（その画素値がもつ画素の個数）をとり，各画素値の分布を棒グラフで表したものを**ヒストグラム**とよぶ。トーンカーブの操作は，ヒストグラムを確認しながら行うとよい。高さのある棒グラフの存在が左に偏っていると画像が暗く，右に偏っていると画像が明るい，というように画像の明るさの傾向を判断することができる。

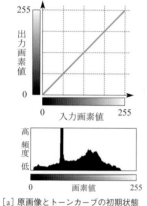
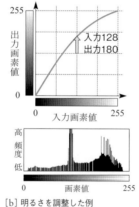
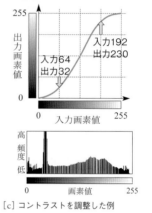

［a］原画像とトーンカーブの初期状態　　　［b］明るさを調整した例　　　［c］コントラストを調整した例

■図2.32——トーンカーブによる補正の例

［3］色の補正

フォトレタッチソフトでは，彩度を調整することで写真や画像の印象を変えることができる。彩度を高くするとメリハリのある派手な印象に，低くすると落ち着いた印象になる（図2.33）。

低い ←　　　　　　　　　　　　　　　　→ 高い
彩度

■図2.33——彩度による見え方の違い

撮影時の光源の種類や屋外での撮影の際の時間帯によって，写真が意図した色合いで撮影されていない場合がある。フォトレタッチソフトで色合いに関するパラメータを操作することで補正を行うことができる。

色温度は光の色を表す尺度で，ケルビン（K）という単位で表される。低い
ほど赤く（暖色系），高いほど青く（寒色系）なるため，色温度を低くすると
温かみのある印象に，高くすると冷たい印象になる（図2.34）。

低い（暖色系）◀━━━━━━━━━━━ 色温度 ━━━━━━━━━▶ 高い（寒色系）

■図2.34——色温度による見え方の違い

　特定の色に偏った色かぶりを起こした写真や画像を補正するには**ホワイ
トバランス**を調整する。本来は白であった部分に着目し，そこを白に近づけ
るようにホワイトバランスや色温度のパラメータを操作することで，本来の
色味の画像に修正できる（図2.35）。

[a] 全体に赤かぶりを起こした画像　　　[b] 調整後の画像
■図2.35——ホワイトバランスの調整

[4] シャープネス

　輪郭を強調したり，弱めてやわらかな印象にしたりするには，**シャープネ
ス**を調整する。たとえば，建物や金属製品などの硬質感，花びらや肌質など
の柔和さをより強く表現することができる。また，ピントがあまいような写
真などの印象を改善しようとする際にも使用される（図2.36）。

[a] 操作をしていない状態　　　[b] 調整後の画像
■図2.36——シャープネスで輪郭を強調した例

2-4-5 画像データのファイル形式

表2.3に代表的な画像データのファイル形式とそのおもな特徴を示す。画像データを扱う場合には，用途に応じて使い分ける必要がある。

■表2.3——代表的な画像データのファイル形式

名称	拡張子	特徴
BMP	.bmp	「Windows」における標準的な画像データのファイル形式。
EPS	.eps	DTPでよく使用される画像データのファイル形式。ベクタ形式とビットマップ形式の画像を格納できる。
TIFF	.tif	EPSと並んでDTPで使用される画像データのファイル形式。タグを利用して，さまざまな格納形式や圧縮方式に対応するが，データを圧縮せずに扱う場合によく用いられる。
JPEG	.jpg	画像データの圧縮方式の1つで，画像を非常に小さい容量に圧縮できる。ディジタルカメラによる撮影で得られる画像を中心に広く利用されている。
GIF	.gif	Webページに標準的に使用される画像データのファイル形式。256色までの画像を対象とする。複数の静止画像を1つにまとめて動画として表示する場合や，画像の一部を透明にして背景を透過表示する場合などにも用いられる。
PNG	.png	WebページにJPEGやGIFに代わって多く使用される画像データのファイル形式。画像の劣化がないことが特徴で，透明色を表現することができる。
SVG	.svg	Webページに使用できる画像データのファイル形式で，ベクタ形式の画像を扱うことができる。

2-4-6 画像を扱うアプリケーションソフトウェア

ここでは，画像の作成や編集，表示などPC上で画像を扱うためのさまざまなアプリケーションソフトウェアについて解説する。

[1] ペイント系ソフト

ペイント系ソフトは，マウスやペンタブレットなどを用いて，ラスタ形式の画像の作成や編集を行う際に利用する。大きさや形の異なるペン（ブラシ）を使った描画，範囲選択，塗りつぶし，テキストの描画などの機能がある。とくにペンタブレットを用いた場合は，紙とペンを使うときのように描くことができ，ペイント系ソフトによっては水彩画や油絵のような表現もできる。さらに絵やイラストを描くのに便利な機能を搭載したものは**お絵描きソフト**とよばれ，一般ユーザばかりでなく，イラストや漫画などの商業作品の制作現場でも利用されている。

[2] フォトレタッチソフト

フォトレタッチソフトは，たとえばディジタルカメラで撮影した写真のようなラスタ形式の画像データの加工，修正（レタッチ）を行うのに用いる。画像の細部をブラシで修正したり，明るさやコントラストを調整したり，**フィルタ**を適用して画像に特殊効果を与える。図2.37にフォトレタッチソフト

の例を示す。

　多くのフォトレタッチソフトでは，ペイント系ソフトと同様にレイヤのしくみをもつ。図2.38に示すレイヤ1，レイヤ2，レイヤ3の3つのレイヤで構成される画像があるとする。この場合，画像そのものは3つのレイヤすべてが重ね合わされて完成されるが，制作はレイヤごとに行う。ここでレイヤ2だけ加工すると，レイヤに属する部分だけ変更が反映されて，最終的な画像もそこだけが修正される。画像をレイヤで色ごとに分けたり，各パーツごとに分けたりして，画像の修正をより簡単かつ効果的に行うことができる。

■図2.37——フォトレタッチソフトの例「Adobe Photoshop」

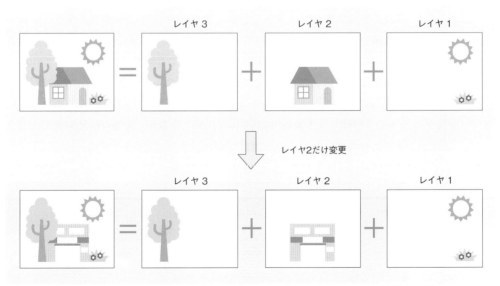

■図2.38——レイヤのしくみ

[3] ドロー系ソフト

ドロー系ソフトは、直線や円、矩形などを組み合わせてベクタ形式の画像を制作する際に用いる。ワープロソフトやプレゼンテーションソフトにドロー系ソフトの機能が組み込まれることもあり、説明図などを作成するための機能として利用されている。図2.39にドロー系ソフトの例を示す。

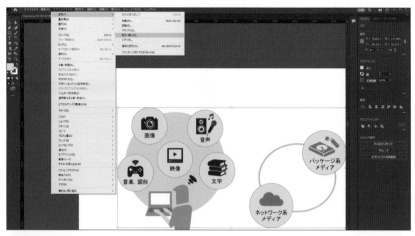

■図2.39——ドロー系ソフトの例「Adobe illustrator」

[4] 画像管理ソフト

画像管理ソフトはアルバムソフトともよばれ、PCに取り込んだ大量の画像ファイルを見やすく整理したり、簡単に印刷したり、目的の写真を探しやすいように管理したりすることができる。図2.40に画像管理ソフトの例を示す。一般的な画像管理ソフトは、画像をフォルダに分けて管理する機能や、すべての画像を**サムネイル**で一覧表示する機能[*30]、画像をまとめて印刷する機能などを備えている。また、前述したフォトレタッチソフトの機能と、画像の管理の機能とを備えるものもある。最近のOSは、画像管理ソフトのように、画像ファイルの一覧表示などができるが、画像の整理や管理をより便利かつ高度に行えるのが画像管理ソフトのメリットである。

■図2.40——画像管理ソフトの例「Adobe Bridge」

2-5

動画

カメラ機能を搭載したスマートフォンが広く普及し，動画の撮影や編集を誰もが日常的に行えるようになった。ここでは，動画について解説する。

2-5-1　動画のしくみ

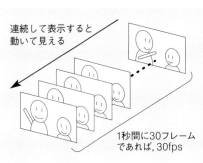

連続して表示すると
動いて見える

1秒間に30フレーム
であれば，30fps

■図2.41——動画のしくみ

図2.41に示すように，複数の静止画を一定の時間間隔で連続的に表示し，あたかも動いているかのように見せかけるものが**動画**であり，原理としてはパラパラ漫画と同じである。動画を構成する1枚1枚の静止画を**フレーム**とよび，1秒間に表示されるフレームの数を**フレームレート**とよぶ。たとえばテレビのフレームレートは，30fps（frames per second：フレーム／秒）である。[*31]

フレームレートが高ければ，動画を見て感じられる動きはより滑らかになるが，データ量もそれだけ多くなる。図2.42に示すように，たとえばテレビと同じ30fpsの動画の1分間のデータ量は，1フレームのデータ量×30（枚）×60（秒）となり，静止画1,800枚分のデータ量になる。フレームの画像サイズが大きく，かつフレームレートが高いと，PCの処理能力では動画をうまく再生できないことがある。一般に，1秒間に10フレームから20フレームであっても人間は動画として十分認識できるといわれている。

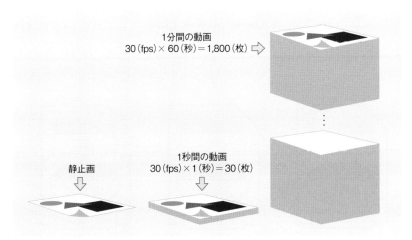

1分間の動画
30（fps）×60（秒）＝1,800（枚）

静止画

1秒間の動画
30（fps）×1（秒）＝30（枚）

■図2.42——静止画と動画のデータ量

*31
厳密には29.97fpsである。

2-5-2　動画ファイルの再生

コンピュータで動画を扱う際に用いられる動画ファイルには，通常，音声データと動画データがそれぞれ圧縮され，保存されている。保存の際にデータを圧縮（符号化）し，再生の際に圧縮されたデータを元に戻す（復号する）ためのしくみ（圧縮方式）を，**コーデック**とよぶ。また，データを保存するためのファイル形式を**コンテナ**とよぶ。表2.4に代表的な動画ファイルのための規格（コンテナやコーデック）を示す。

図2.43では，3つの動画ファイルの例を示している。コンテナは複数の種類のコーデックのデータに対応しており，「a.mp4」と「b.mp4」のようにファイル名の拡張子（コンテナ）は同じでも，内部に保存された動画データや音声データのコーデックが異なることがある。このため，動画再生ソフトなど，再生のための環境におけるコーデックの実装状況により，あるファイルが再生できても，それと同じ拡張子をもつ別のファイルが再生できない，といった事態が生じる。たとえば，「a.mp4」を再生できたとしても，H.265のコーデックが実装されていなければ，「b.mp4」の再生はできない。このように動画ファイルの再生の可否は，拡張子だけでは判断できないことがあるため，注意が必要である。

■表2.4——代表的な動画ファイルのための規格

名称	拡張子	特徴
MPEG-1	.mpg, .m1v	CDへの1時間程度の動画の収録を目的に策定された動画データの形式。[32]
MPEG-2	.mpg, .ts[33]	MPEG-1よりも高画質な動画データの形式。[32]
MPEG-4	.mp4[34]	携帯電話のテレビ電話機能などで使われた動画データの形式。[32]
H.264[35]	.mp4[34]	MPEG-2の半分のデータ量で同程度の画質を実現するとされるコーデック。インターネット配信で主流となっている。
H.265[36]	.mp4[34]	H.264の半分のデータ量で同程度の画質を実現するとされるコーデック。
WMV	.wmv	マイクロソフト社が開発したコーデック。ストリーミング型配信やコピー制御に対応している。
AVI	.avi	マイクロソフト社が開発した，「Windows」標準のコンテナ。
ASF	.asf, .wmv	マイクロソフト社が開発した，AVIの後継となるコンテナ。
MP4	.mp4, .m4a	MPEG-4で規定されているコンテナ。

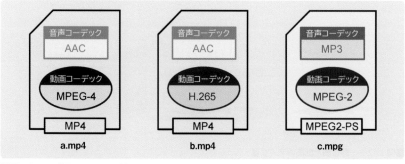

■図2.43——動画ファイルの例

*32
MPEG-1, MPEG-2, MPEG-4では，コーデック（圧縮方式）だけでなくコンテナ（ファイル形式）も含めた動画データの形式を規定している。

*33 DVDなど向けにはMPEG-2 PS（拡張子mpg），ディジタル放送向けにはMPEG-2 TS（拡張子ts）というコンテナによるファイルがよく使用されている。

*34 mp4以外の拡張子をもつファイル（MP4以外のコンテナ）で，これらのコーデックが用いられる例も多くある。

*35 MPEG-4 AVC（あるいは単にAVC）ともよばれ，正式にはH.264/MPEG-4 AVCのように両方を併記する。

*36 HEVCともよばれ，正式にはH.265/HEVCのように両方を併記する。

2-5-3　動画の編集

　以前は専門知識をもった技術者が大規模な専用の機材を用いて行っていた動画の編集を，最近では一般の人々がPCやスマートフォンで手軽に行えるようになった。PCやスマートフォンで動画の編集や加工を行うには，**DTV**（DeskTop Video）ソフトや動画編集ソフトを利用する。動画を記録するビデオカメラの記録媒体も，テープからフラッシュメモリなどへと変わり，その内容を直接PCに読み込んで，構成の組み替えや合成などを行うことができる。

　動画の編集方法はソフトウェアによってさまざまであるが，一般には動画をタイムライン上に並べていくことで行う。**タイムライン**とは作品全体を構成する複数のシーンを時系列順に並べて表示するインタフェースである。異なるファイルの動画を並べたり，1本の動画ファイルをカットして，必要な部分だけをつなぎ合わせたりすることが可能である。多くのDTVソフトでは，メインとなる動画用の**トラック**のほかに，タイトル用のトラックやBGM，ナレーションを入れる音声用のトラックが用意されている。これらのトラックを組み合わせて使用することで，映画やテレビ番組のような凝った映像作品に仕上げることができる。また動画には，図2.44に示すディゾルブ（現在の場面が少しずつ薄くなりながら，つぎの場面が現れてくる効果。オーバーラップとよぶこともある）や，図2.45に示すワイプ（現在の場面に別の場面が割り込んでくる効果），フェードイン[37]，フェードアウト[38]などの**エフェクト**[39]をかけることができる。編集が終わればプレビューで全体の流れを確認し，指定した動画データのファイル形式で書き出しを行い，ファイルとして保存する。

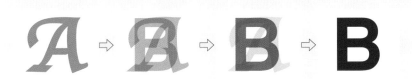

■図2.44——ディゾルブ
現在の場面が少しずつ薄くなりながら，つぎの場面が現れてくる。

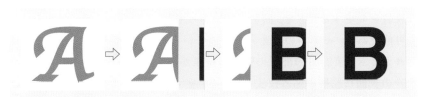

■図2.45——ワイプ
現在の場面に別の場面が割り込んでくる。

*37 映像の場合は，何も表示されていない状態から，映像を少しずつ濃くして表示していくこと。音声の場合は，ある音声の音量を少しずつ上げて聞こえる状態にすること。

*38 映像の場合は，現在表示されている場面を少しずつ薄くして消していくこと。音声の場合は，ある音声の音量を少しずつ下げて聞こえなくすること。

*39 映像，音声，画像などに加えることができる特殊効果のこと。

chapter
2
5-3
動画

047

2-6

3次元CG

CG（コンピュータグラフィックス）は，2次元CGと3次元CGに分類できる。どちらもコンピュータを用いて画像を生成・表示しているが，3次元CGは私たちの暮らす現実世界に近い空間を表現するのに適しているため，各種のアニメーションやゲームなどの分野で活用されている。ここでは，3次元CGの基本的な概念について紹介する。

3次元CGは，仮想的な3次元空間のなかにモデル（キャラクタ，背景，小道具などの物体）とライト（照明）を置き，仮想的なカメラの位置と向きを設定して，「撮影」に相当する計算を行うことで画像をつくり出している。また，モデルやカメラの位置を少しずつ変えて「撮影」された複数の静止画を連続して再生することで，アニメーションにすることも可能である。

図2.46は，3次元CG制作ソフトの「Autodesk Maya」を用いて制作したサンプル画像である。部屋のなかにテレビとソファーがあり，ソファーには人型のロボット（銀色の金属製）が座っていて，テレビのリモコンを手にしている。また，窓の外には夕焼け空が見える。

図2.46の制作作業中の画面を図2.47に示す。右手前にあるのが仮想的なカメラで，ここから「撮影」された画像が図2.46である。[40]

現実世界では光がなければ物体は見えないが，それと同様に，3次元CGの世界にもライト（照明＝光源）は必要である。[41] 図2.46では，左側の壁に点光源（全方向に光が広がる）を3つ配置している。また，テレビの画面が面光源（面状に光る）に相当し，窓の外からは夕焼け空を模した平行光源（一方向から光が届く）の光が射し込んでいる。ライトの位置，種類，色，光の強さなどは個別に調整できる。

ライトからの光を受けて，各モデルがどのように見えるのか（どのような色なのか，光をよく反射してツルツルなのか，あまり反射しないのかなど）も個別に設定できる。たとえば，図2.46の金属製ロボットの表面の光学的な性質を変更することで，同じ形状であっても，人の肌のように見せることも可能である。モデルの見え方を決めている光学的な性質のことを**マテリアル**とよぶ。図2.46の部屋の壁には壁紙が貼られているが，このようにモデルの表面に絵柄を貼る技法（テクスチャマッピング）も一般的によく用いられている。

なお，窓の外の景色は，写真を貼り付けた板[42]をやや離れた場所に配置しているだけである。3次元CGにおいては，処理を軽減するために，このような「手抜き」をすることもある。

*40 歴史的にも，写真撮影をコンピュータによる計算で置き換える（まねる）ことを目指して，3次元CGは進化してきたともいえる。

*41 レンダリング（2-6-3）の方式によっては，光源の設定が不要なこともある。たとえば，図2.47のような制作作業を行う画面（これも3次元CGの一種）では，とくに光源を設定しなくても，すべてのモデルが見えるようになっている。

*42 演劇の舞台の「書き割り」のようなもの。

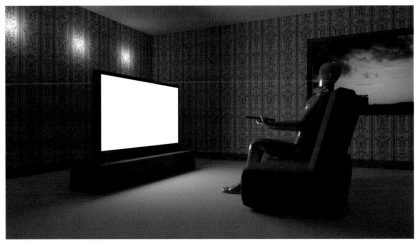

■図2.46——3次元CGによる画像の例

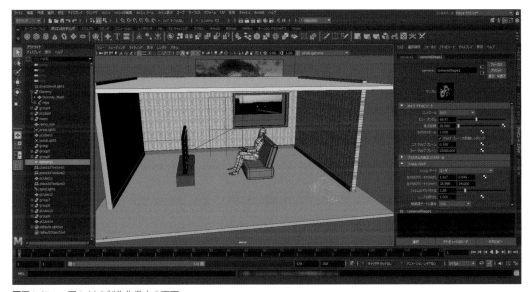

■図2.47——図2.46の制作作業中の画面
中央に見える3次元空間内において，手前の右側に，緑色の線画で描かれているものが仮想的なカメラ。

2-6-2　モデリング

　現在の一般的な3次元CGは，ポリゴン（三角形や四角形といった多角形）を基本形状としている。通常，1つのモデルは，複数のポリゴンを組み合わせてつくられている。広い平らな面であれば1枚のポリゴンで表現できるが，曲面を表現するためには小さなポリゴンを組み合わせて使うことになる（図2.48）。曲面を多用したモデルには多くのポリゴンが必要であり，平面を多用したモデルよりも相対的にコンピュータの処理における負荷は大きくなる。

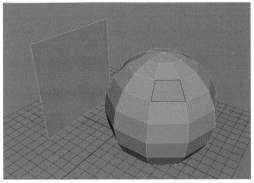

■図2.48——ポリゴンによる平面（左）と曲面（右）の表現
右の球形のモデルの，赤線で囲われた部分が1枚のポリゴンである。

キャラクタ，背景，小道具など，モデルの形状をつくり上げる作業のことを**モデリング**とよぶ。現在は，モデリング済みの形状が販売・配布されているため，これらを使って3次元CGを制作することも可能である。

2-6-3　レンダリング

仮想的な3次元空間のなかのライト，モデル，カメラなどの情報から2次元の画像を生成することを**レンダリング**とよぶ（2-6-1の「撮影」がこれに相当する）。レンダリングにはさまざまな方式があり，目的に応じて使い分けられている。[43]

一般に，現実に近い見え方をするレンダリングほど計算時間がかかるため，リアルタイム（実時間）でのレンダリング[44]は難しくなる傾向にある。

レンダリングのなかでもとくにモデル表面の明暗（陰の付き方）を計算することを**シェーディング**とよぶが，現在では明暗に限らず，より広い意味で「計算による描写の仕方」まで含めた用語として使われることもある。たとえば，手描きアニメ風の画像を出力する**トゥーンシェーディング**という技法がある（図2.49）。

*43 レンダリング技法のなかには，単色のポリゴンだけを簡易に描画する高速な方法もある一方，計算時間はかかるものの，光の屈折や反射などを正確にシミュレートしたレイトレーシング法や，シーン内のすべての面の間の光の反射を考慮したラジオシティ法などがある。

*44 リアルタイムレンダリングの例としては，ゲームやVR（Virtual Reality）などをあげることができる。これらの用途の場合，プレーヤの操作に応じて瞬時にレンダリングすることが求められる。たとえばレースゲームでは，車の運転席に相当する位置にカメラを設置し，そこから見える景色をリアルタイムにレンダリングしている。

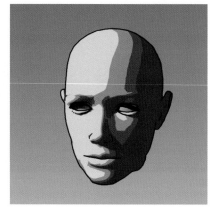

■図2.49──トゥーンシェーディング
右図は左図のモデルにトゥーンシェーディングを施した例である。左図ではモデル表面の明暗が滑らかに変化している（これをスムーズシェーディングとよぶ）が，右図では何色かに塗り分けられており，輪郭線（黒線）も追加されている。

2-6-4　アニメーション

3次元CGを構成している要素であるモデルやカメラの位置，角度を少しずつ変えながらレンダリングすることで，**アニメーション**を作成できる。

モデルのアニメーションは，以下のように大きく2種類に分けられる。

移動……モデルの位置や角度が変わること。モデル全体を動かす。
変形……モデルの形状が変わること。ポリゴンの頂点を動かす。

たとえば，3次元CGでつくられた少年のキャラクタが公園の滑り台で遊んでいるようすを制作する場合，滑っている少年モデルの全身は「移動」で動かせばよい。[*45] さらに，眉・目・口とその周辺のポリゴンの頂点を動かして「変形」することで少年の表情を変化させることもできる。

なお，人間や動物の手足を動かしたい場合には，手足のモデル内に仕込んだボーン（骨）やジョイント（関節）を動かすことで省力化できる[*46]（図2.50）。たとえば，VTuber[*47]の演者が腕を動かしたとき，何らかの手段でその動きを取得し[*48]，モデルの腕のボーンをそっくりに動かせば，VTuberのアバタ（キャラクタ）の腕も演者と同じように動く。表情（フェイシャルエクスプレッション）についても同様に，演者の表情を取得し，モデルの表情を追従させることで，リアルタイムにアバタの表情を変化させることが可能である。

■図2.50──
人体モデルにおけるスケルトン（骨格）構造の例
緑色の部分（ボーンやジョイント）を動かしてポーズを変える。

2-6-5　3次元CGを扱うアプリケーションソフトウェア

2次元CGを制作する場合と同様に，3次元CGを制作する際にも，1つのアプリケーション（ツールとしてのソフトウェア）だけで完結して作業をする必要はなく，実際には複数のアプリケーションソフトウェアを組み合わせて使うことが少なくない。なぜなら，アプリケーションソフトウェアによって得意な分野が異なるからである。たとえば，「A」「B」「C」というアプリケーションソフトウェアがあるとき，人体のモデリングには「A」が適しているが，それに着せる服のモデリングには「B」を用いると効率がよく，最終的に「C」でそれらすべてを美しくレンダリングする，といった具合に「分業」して作品を完成させることができる。現在のところ，異なるアプリケーションソフトウェア間におけるデータの互換性は完璧とはいえないが，工夫をすれば使えることが多い。

*45 直線的な移動であれば，単純な補間計算で動かすことが可能である。もし滑り台がカーブを描いていたら，少年を移動させたい軌跡の曲線（これをパスとよぶ）を用意しておけばよい。

*46 ボーンを1本動かすだけで，そのキャラクタのモデル表面（皮膚に相当）にある大量のポリゴンの頂点を一気にまとめて動かして，形状を変形させることができるため，効率的であり，制御も容易である。

*47 「Virtual YouTuber」の略で，CGのアバタを使って，動画コンテンツの投稿や配信を行う人のこと。アバタそのものを指す場合もある。動画配信については，6-5-2を参照のこと。

*48 たとえば，現実世界のカメラで人間（ここでは演者）の動きを撮影し，画像認識によって骨格の動きを推定する技術がある。そのほかにも，人の身体にマーカとよばれる目印を貼り付け，それをカメラで撮影し，マーカの位置の変化から骨格や筋肉などの動きを取得する技術もある。

3次元CGを扱うアプリケーションソフトウェアの代表例が,「Autodesk Maya」(図2.47)や「Blender」などの統合型3次元CG制作ソフトである。モデリング,レンダリング,アニメーションといった機能を一通り備えており,単体で3次元CGアニメーションを作成することが可能である。[49]

一方,特定の作業に特化したアプリケーションソフトウェアも存在する。たとえば,体の表面に皺や凹凸の多いクリーチャー(怪物)などのキャラクタを制作する際に便利な,あたかも彫刻をつくるようにモデリングできるスカルプトツールに特化したアプリケーションがある。[50]ペンタブレットを用いて,彫刻刀で彫るように,あるいは粘土細工をつくるようにモデリングできる。完成したモデルは,統合型3次元CG制作ソフトなどに読み込んで,モーション(動き)をつけたり,レンダリングを行うことができる。

また,とくにリアルタイムCGを扱いやすくする「場」として,「Unity」や「Unreal Engine」といった**ゲームエンジン**とよばれるアプリケーションソフトウェアがある。ゲームをはじめとするインタラクティブなコンテンツを制作する際に,多くのコンテンツで共通している部分を使いやすくまとめ[51]たもので,GUIによる操作性のよさもあり,制作効率の向上に貢献している。[52]ゲームエンジンに簡単なモデリング機能が付属していることもあるが,通常は統合型3次元CG制作ソフトや,特定の作業に特化したアプリケーションソフトウェアで,個々のモデルやモーションなどを作成する。それらを最終的にゲームエンジンに読み込んで,コンテンツ全体を構築し,完成させることが多い。ゲームエンジンはマルチプラットフォームにも対応しており,ひとたびコンテンツを開発すれば,PC,家庭用ゲーム機,スマートフォン,VRゴーグル(HMD)[53]などの異なるプラットフォーム用に書き出せるため,移植作業を軽減できるという利点もある。ゲームエンジンは,ゲーム制作だけでなく,アニメーション映像の制作や各種のシミュレーションなどにも用いられている。

広い意味での「3次元CGを扱うアプリケーションソフトウェア」には,Webブラウザも含まれる。最近のPCやスマートフォンには,3次元CGを高速に処理できるハードウェアが搭載されているため,Webブラウザ上でもリアルタイムにインタラクティブ性のある3次元CGコンテンツの実行が可能となっている。Webブラウザ以外にも,たとえば,手描きで2次元CGを制作するのに用いられるソフトウェアの「CLIP STUDIO PAINT」には,3次元CGによる「3Dデッサン人形」が内蔵されており,難しいポーズのアタリをとるのに便利である。近年では,「Microsoft Office」や「ペイント3D」といった一般向けのPCアプリケーションソフトウェアでも,手軽に3次元CGを扱えるようになってきた。今後,発展が期待されるメタバースにおける仮想空間やアバタにも3次元CGが用いられるため,近い将来3次元CGがいままで以上に身近な存在になっていくと考えられる。

*49 ただし,テクスチャマッピングなどに用いる画像は「Adobe Photoshop」などの2次元CG用のアプリケーションソフトウェアで作成や調整を行う必要がある。

*50 「ZBrush」などがある。なお,統合型3次元CG制作ソフトに,スカルプトツールに相当する機能が含まれていることもある。

*51 たとえば,モデルやモーションの管理,シーンやステージの遷移,衝突判定(当たり判定),物理シミュレーション機能など。

*52 Graphical User Interfaceの略。アイコン,ボタン,メニューなどを用いた視覚的なユーザインタフェースのこと。直感的な操作が可能である。GUIについては,1-3-2を参照のこと。

*53 Head Mounted Displayの略。頭部に装着するディスプレイで,VRコンテンツに適する。HMDについては,1-3-3を参照のこと。

2-7

Webページ

コンセプトや構成など，設計段階から全体像を考慮して作成することで，魅力的で閲覧しやすいWebページを実現することができる。Webページの制作には，Webオーサリングツールが利用される。

2-7-1　コンセプトメイキング

Webページを作成する場合は，**コンセプトメイキング**が重要となる。コンセプトメイキングとは，Webページのテーマや条件の設定，意味付けを行う作業である。1つのテーマに絞ったWebページのほうが，明快でわかりやすい。たとえば何らかの商品を紹介するページを作成する場合，コンセプトメイキングをしっかり行わないと，製品の仕様などを羅列しただけのページになってしまう。図2.51にあげた各項目（5W2H）について検討し，Webページで何を伝えたいのかを明確にして，ページ構成を考える必要がある。

2-7-2　Webページの構成

Webページを作成するのに用いられる言語が**HTML**（HyperText Markup Language）である。HTMLは代表的なマークアップ言語[*54]の1つで，「<」と「>」の記号で囲った**タグ**を用いて文書の論理構造を記述する。**ハイパーリンク**とよばれるタグを用いると，ほかの文書や画像などと関連付けができる特徴をもつ。Webページの見栄えをよくするためには，HTMLとともに**スタイルシート**（CSS：Cascading Style Sheets）という言語が用いられる。CSSを利用したWebページでは，フォントの種類やサイズ，色，行間など，フォーマットやレイアウトに関する情報をCSSで用意し，それを参照することでWebページが構成される（図2.52）。

HTMLやCSSをはじめとするWeb関連の技術の多くについては，W3C（World Wide Web Consortium）やWHATWG（Web Hypertext Application Technology Working Group）という組織が標準仕様の勧告を行っている。Webブラウザは通常こうした標準仕様に準拠しているため，標準仕様に則ってWebページを作成すれば，どのWebブラウザでも基本的に同じ表示や動作となる[*55]。

＊54 文章などに指示（命令）や意味を付け加えることをマークアップとよび，そのための言語をマークアップ言語とよぶ。

＊55 しかし実際には，Webブラウザによって実装されている機能や表示の方法に違いがあるため，Webページを作成する際には，複数の種類のWebブラウザで動作確認を行うべきである。

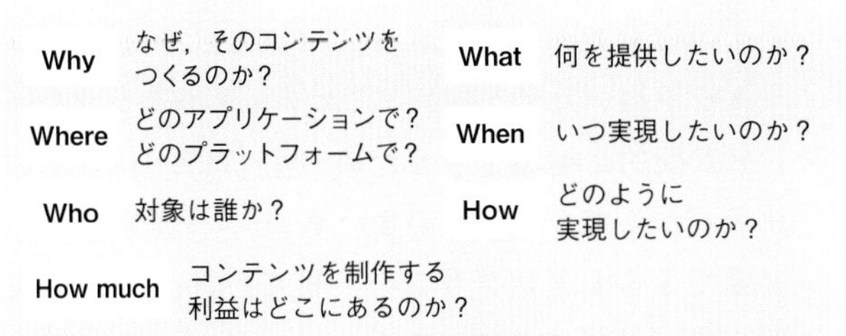
Why
なぜ，そのコンテンツをつくるのか？
What
何を提供したいのか？
Where
どのアプリケーションで？どのプラットフォームで？
When
いつ実現したいのか？
Who
対象は誰か？
How
どのように実現したいのか？
How much
コンテンツを制作する利益はどこにあるのか？

■図2.51――5W2H

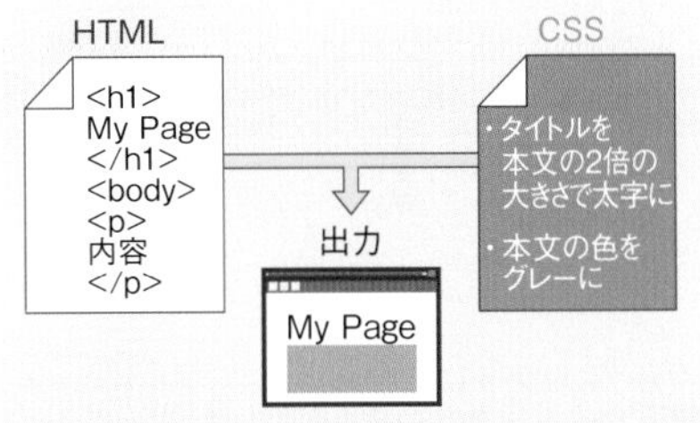
HTML
<h1>
My Page
</h1>
<body>
<p>
内容
</p>
CSS
・タイトルを本文の2倍の大きさで太字に
・本文の色をグレーに
出力
My Page

■図2.52――CSSを利用したWebページの例

2-7-**3**　スクリプト言語の利用

　Webブラウザ上に表示されたページの内容をユーザの操作に応じて逐次切り替えるといったインタラクティブな制御は，HTMLだけでは実現できない。そうした動的な制御を実現するために，**スクリプト言語**が用いられる。その代表的なものがJavaScriptであり，多くのWebブラウザがJavaScriptを実行するためのエンジンを備えている。JavaScriptを使うことで，テキストボックスに入力された文字やマウスカーソルを合わせた位置などの情報（値）を取得し，それに応じてWebページの表示の一部を変更するといったことができるようになる。[56]

2-7-**4**　Webページの制作

　Webページの制作には，HTMLエディタやWebオーサリングツールとよばれるソフトウェアがよく用いられる（図2.53）。[57]HTMLファイルはテキストで記述されるため，タグに関する知識があればテキストエディタで編集することもできるが，多くの種類のタグを覚えるのは容易ではなく，また，タグの入力や，入力したタグによって意図した表示となるかを確認するのに手間がかかる。HTMLエディタを利用すれば，WYSIWYGで書類が編集できるワープロソフトと同様の操作性で，タグが自動的に付加されたHTMLファイルを作成することができる。CSSやJavaScriptを用いるWebページのための編集に対応しているものもある。

　Webページの構成要素となるテキストや画像などのコンテンツを個別にデータベースに保存して統合的に管理するシステムを，**コンテンツ管理システム**（CMS：Contents Management System）とよぶ。通常のWebサイトでは，完成形のWebページのデータが保存されており，Webブラウザから要求があるとそれが送信される。一方，CMSを導入したWebサイトでは，Webブラウザからの要求に応じて，データベースをもとにしてCMSがWebページのデータを自動的に生成し，送信するようになっている。この自動生成は，テンプレートとよばれるレイアウトやデザインに関する情報に従って行われる。テンプレートを編集することで生成されるWebページの表示内容を変更できるが，多くのCMSではWebブラウザを用いたWYSIWYGエディタでテンプレートを直観的に編集できるため（図2.54），HTMLの知識がなくても見栄えのよいWebページを手軽に実現できる。ブログもこの一種で，日記や画像をWeb上で簡単に公開できる。

*56 サーバ側でプログラムを実行し，その結果をクライアントであるWebブラウザに送信する手法もある。その場合には，Perl, PHP, Ruby, Pythonなどのスクリプト言語でサーバ上のシステムの開発が行われている（5-1-2を参照）。

*57 Webオーサリングツールは，Webデザインのための高度な機能が数多く備えられており，直感的な操作でWebページが制作できる。また複数のページのデザインを統一するのに便利なテンプレートなども用意されており，Webサイト全体の総合的な制作や管理に役立つ機能を備えている。

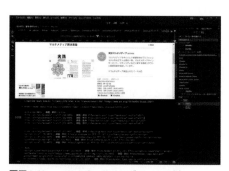

■図2.53——Webオーサリングツールの例「Adobe Dreamweaver」

■図2.54——CMSの編集画面の例「WordPress」

3

マルチメディア機器

ハードウェアの高性能化やインターネットの高速化により，画像，
音声，映像などのマルチメディアを扱うディジタル端末は大きく変
化した。ここでは，おもにコンピュータのハードウェアと周辺機
器，ソフトウェアのしくみについて解説する。

3-1
マルチメディアを扱う端末

マルチメディアを扱う端末には, PCやスマートフォン, タブレットなどがあり, それぞれかたちや使い方は異なるが, これらはすべてコンピュータである。また, 特定の機能に特化した電子書籍リーダやウェアラブル端末などのさまざまな機器が登場している。ここでは, マルチメディアを扱うこれらの端末について解説する。

マルチメディアを扱う端末はデバイスなどとよばれ, 大きく分けて, 目的に応じたソフトウェアを追加してさまざまな用途に利用する端末と, ある特定の用途に機能を限定して利用する端末とがある。

ソフトウェアを追加して利用する端末には**PC**や**スマートフォン**などがある(表3.1)。これらはサイズや操作形態こそ大きく異なるものの, どちらもハードウェア, OS, アプリケーションソフトウェアで構成されるコンピュータであり, 3-2以降で解説するハードウェアの構成(入力装置, 出力装置, CPU, 記憶装置)に大きな違いはない。用途に応じたアプリケーションソフトウェアを追加してさまざまな情報を扱える点が特徴で, テキストや画像の表示, 動画・音楽の再生など, 幅広い利用が可能である。

■表3.1——ソフトウェアを追加して利用する端末の例

名称		特徴
PC		ディスプレイモニタやキーボード, マウスなどの周辺機器を接続して, おもに特定の場所に設置して利用するデスクトップ型PCと, 14〜15インチ程度の画面を備えたものが多く, 携帯性に優れたノートブック型PC(ノートPC)がある。ゲームの3次元CG映像を十分なフレームレートで表現するために高速な画像処理を行うプロセッサを搭載したゲーミングPCもある。
スマートフォン		4〜7インチ程度の画面を備える。PCと同様にハードウェア, OS, アプリケーションソフトウェアで構成されるコンピュータである。入出力装置として画面を直接操作するタッチパネルを使用する。
タブレット		7〜12インチ程度の画面を備える。スマートフォンよりも画面が大きく, 動画の視聴や文書の閲覧・編集の際の利用に適している。PCよりも軽量で携帯性に優れ, 直感的な操作がしやすいことが特徴である。

またスマートフォンは，カメラ機能や通話機能，位置情報の検索機能などが1台に集約されており，これらの機能を実現するために各種のセンサがあらかじめ搭載されている。センサには，方角を検出する地磁気センサや，端末の角速度を検出するジャイロセンサ[*1]，加速度を検出する加速度センサなどがある。

一方，特定の用途に機能を限定して利用する端末には，スマートスピーカや電子書籍リーダなどがある（表3.2）。音楽の再生や音声認識による家電の操作，電子書籍の閲覧など用途を絞り込むことで，端末の小型化や単純な操作性を実現している。

*1 物体が回転するときの速度を表す量のこと。

■表3.2──特定の用途に機能を限定して利用する端末の例

名称		特徴
スマートスピーカ		音声認識技術を用いて音声で入出力を行う。音声の入力（話しかけた内容）を理解し，ユーザが必要とする回答を作成して出力する。音楽の再生や音量調整などの音楽スピーカとしての機能に加え，インターネットに接続することで天気予報やニュースなどの情報を検索して回答する。また自分のスケジュールや，撮影した写真などをPCやスマートフォンなどに保存された情報から検索し提示する。AIスピーカとよばれることもある。
電子書籍リーダ		紙媒体の書籍のような文字の読みやすさと，複数の本を1台に収録できる高い携帯性を備えている。PCやスマートフォンと異なりバックライトが不要で，ページを更新するときだけ電力を消費する表示デバイスを採用するなどして省電力化が図られている。
ウェアラブル端末		身体に着けて利用するデバイスをウェアラブル端末とよぶ。タッチパネルや音声で入力し，端末自体，またはPCやスマートフォンなどを介してインターネットに接続し情報を取得してユーザに提示する。通話やメールの送受信，電子マネーなどの利用ができる。また，つねに身に着けることを生かし，搭載した各種のセンサから運動時や睡眠時の生体情報を取得して記録できる。
HMD （Head Mounted Display）		ユーザの頭部に端末を装着して使用する。端末には，映像を表示させる部分が透ける素材でできており眼に映る現実世界と3次元CGとを重ねて表示するもの（透過型）や，完全に視界を遮断し，端末に取り付けたビデオカメラで撮影した映像と3次元CGとを合成して表示するもの（非透過型）がある。また，HMDの筐体にスマートフォンを取り付けて表示部分の代わりとするものや，ゲーム機の周辺機器として開発され，搭載したセンサがユーザの動きを検知して連動したコンテンツを提供するものがある。

3-2
コンピュータの構成

コンピュータは, 日常生活に欠かせないツールである。コンピュータが担う役割は大きく, さまざまな用途でユーザの生活や社会を支えている。ここでは, コンピュータを構成するハードウェアについて解説する。

3-2-1　コンピュータ

コンピュータは本体を構成するハードウェア, ハードウェアとソフトウェアを一括して管理するOS, そしてさまざまな機能を提供するアプリケーションソフトウェアで構成されている。図3.1にコンピュータの構成を示す。コンピュータの形態には, 対面利用を想定しないサーバや, キーボードとディスプレイモニタをつなぎ対面で利用するデスクトップPC, 持ち運びに適したノートPCやスマートフォン, タブレットなどがある。

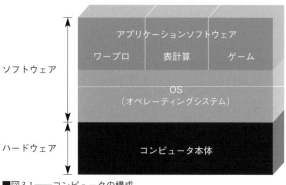

■図3.1——コンピュータの構成

3-2-2　ハードウェア

ハードウェアの構成は, 入力装置, 出力装置, CPU, 記憶装置に分けられる。図3.2にハードウェアの構成を示す。CPUは記憶装置から命令を読み出し, それに応じた処理(動作)を行う。処理はCPU内に限られることもあれば, 入出力および記憶装置への読み書きをともなう場合もある。ここでは, 各装置について解説する。

3-2-3　CPU

プログラムを構成する個々の命令を手順に従って読み出し, それを処理する部分を**プロセッサ**とよぶ。**中央処理装置**(CPU：Central Processing Unit)とよばれるプロセッサは, OSやアプリケーションなどの汎用ソフトウェアの実

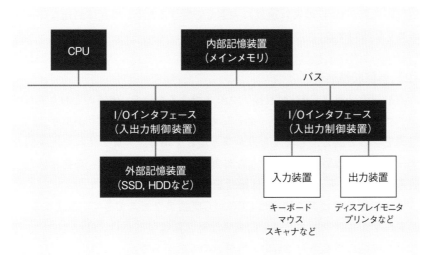

■図3.2──ハードウェアの構成

行を担当する。CPUは，内部記憶装置から読み込んだ命令を実行し，加減乗除や論理演算，記憶装置との間の読み書き，条件判断などを行う。情報の処理や周辺装置の制御は，CPUの命令実行の結果行われる。[*2]

CPUはPCの性能を決定付ける最も重要な要素の1つである。CPUの性能は，動作クロックからおおまかに判断される。動作クロックは3.9GHzのように周波数で表され，同機種間であれば，周波数と動作速度はほぼ比例する。CPUの主要部分をまとめて1つのコアとし，これを複数もつマルチコアとよばれる製品も多い。1つのコアしかもたないCPUに対し，複数のコアをもつCPUは，一度に多くの処理をこなすことができる。[*3]CPUは，それぞれの製品により命令の数や種類，1命令あたりに要するクロック数などが異なるため，さまざまなCPUを比較した場合，クロックの周波数が高いほど高速であるとは一概にいえない。

また高い並列度をもったプロセッサとして，図形処理に特化してコンピュータの表示性能を高めるために開発された**GPU**（Graphics Processing Unit）がある。[*4]GPUはもともとビデオ拡張カードに搭載されていたが，最近ではCPUに内蔵されていることも多い。GPUはCGのリアルタイム生成のための3次元計算を高速化したり，人工知能の処理などに利用したりする。

3-2-4　記憶装置

ハードウェアを構成する要素の1つである記憶装置について解説する。記憶装置は，内部記憶装置と外部記憶装置に分けられる。

[1] 内部記憶装置

CPUが接続している伝送経路のバスを通じて直接読み書きする記憶装置が**内部記憶装置**である。**主記憶装置**，**メインメモリ**ともよばれ，CPUがアクセスする実行中のプログラムや処理中のデータを収める。内部記憶装置

*2　CPUの種類は多く，インテル社の「Core プロセッサー・ファミリー」やAMD社の「Ryzen」など，各メーカからさまざまな製品が発売されている。

*3　このように複数の処理を同時に行うことを並列化とよぶ。

*4　GPUはコンピュータの表示関連の演算に特化した機能をもつ，浮動小数点演算を得意とする並列プロセッサで，静止画・動画の処理や，CGのレンダリングに必要な3次元演算などに使われる。また，高速な演算性能を利用して，機械学習やブロックチェーンのような演算負荷の高い処理に活用されている。

の反応速度がCPUの実行速度に大きく影響するため，現在は高速な半導体メモリを使用する。

[2] 外部記憶装置

内部記憶装置はCPUが直接アクセスできるもので，前述のとおり実行中のプログラムや処理中のデータを収めているが，容量に限りがあり，また，電源を切ると消えてしまうものがほとんどである。プログラムや永続的なデータは周辺機器として接続した**外部記憶装置**に保存して，必要に応じて読み書きする。外部記憶装置は**補助記憶装置**ともよばれる。

外部記憶装置にある情報はCPUから直接アクセスできず，後述するOSの支援を得てアクセスする。代表的な外部記憶装置にはSSDとHDDがあり，PC内部に搭載されるものと外付けのものがある。

SSD[*5]（Solid State Drive）はフラッシュメモリに電気的に情報を記憶させるため，機械的な可動部品がまったくない。メモリチップには不揮発性[*6]半導体メモリを採用し，電源を切ってもデータが保持される。

HDD（Hard Disk Drive）は，ディスクに磁気により情報を記憶させる。磁性体を塗布した円盤（プラッタ）を高速に回転させ，磁気ヘッドを近づけて読み書きを行う。プラッタと磁気ヘッドの間隔は，数ナノメートルにすぎない。非常に精密な機構であり，大きな衝撃を与えると装置が壊れ，記録済みの情報を取り出せなくなることがある。

SSDはHDDと比較してコンパクトなサイズで軽量であり，消費電力を抑えることができるため，PCの軽量化やバッテリ持続時間の向上に一役買っている。

[3] キャッシュメモリ

記憶装置とそれをアクセスする装置の間で速度が著しく異なる場合に，差を吸収するために置かれる記憶装置を**キャッシュメモリ**（または**キャッシュ**）とよぶ。図3.3にCPUとキャッシュメモリ，内部記憶装置のそれぞれの役割を示す。キャッシュメモリは，容量は小さいがアクセス元を大きく待たせない速度の記憶素子を使い，最近使用したデータを収めている。アクセス元が情報を再利用する際は，情報がキャッシュに残っていればキャッシュとのやりとりだけで済み，短時間に情報を得ることができる。

*5　SSDはそのしくみからSLC（Single Level Cell）とMLC（Multi Level Cell）の2つのタイプに分かれる。前者はフラッシュメモリ内のセルとよばれる部分に1ビットずつ保存する構造で，高速動作を実現する一方で容量の増大が難しく高価である。また後者は1つのセルに2～4ビットの記録が可能で，大容量化が容易で低価格化を実現している。

*6　不揮発性とは電源を切断しても記録内容が保持される性質のこと。

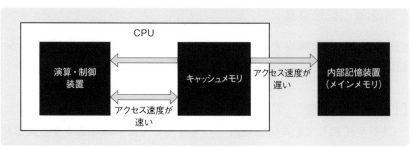

■図3.3──キャッシュメモリ
CPUが内部記憶装置から読み込んだデータはキャッシュメモリに記録される。つぎにそのデータを利用する場合，キャッシュメモリにデータが残っていればそれを利用する。

3-2-5　入出力装置

　PCの代表的な**入力装置**にはマウスやキーボードがある。キーボードは文字を入力するためのデバイスであり，数10〜100以上のキーが並ぶ。文字キーの配列には数多くの種類があり，日本ではJIS配列が広く一般的に用いられている。音声を入力するマイクや，動画を撮影するWebカメラも入力装置の一種である。

　PC内部で処理した情報を出力するための代表的な**出力装置**にはディスプレイモニタがある。ディスプレイモニタの表示を見て，ユーザは適宜入力を行う。音声を出力するためのスピーカや情報を印刷するプリンタも出力装置の一種である。

　これらの入出力装置は周辺機器とよばれることもある。表3.3，表3.4（つぎのページ）に，代表的な入出力装置の例を示す。

3-2-6　インタフェース

　コンピュータを周辺機器や外付けの外部記憶装置，ネットワークに接続するには，I/Oインタフェースを用いる。バスを介してプロセッサや主記憶装置と接続されているI/Oは，コンピュータとの情報交換（入出力）のための装置である。ここでは，代表的なインタフェースを解説する。

[1] USB

　SSDなどの外付けの外部記憶装置や，キーボード，マウス，プリンタなどの周辺機器の接続に**ユニバーサル・シリアル・バス**（Universal Serial Bus：USB）が利用されている。周辺機器をUSBで接続する場合，USBポート（差し込み口）が足りなくなることがある。**USBハブ**とよばれる機器を使用することで，1つのUSBポートを複数に増やして利用することができる（127台まで接続可能）。またコンピュータの電源を入れたまま着脱できるホットプラグに対応し，USBケーブルを通じて信号交換と電力供給を行う規格もある。

　USBは，現在では形状がType A，Type Cで，規格がUSB 3.2がよく利用されている。[*7]表3.5（つぎのページ）に代表的なUSBインタフェースを示す。規格の数値が上がるほど新しく，データ伝送速度が高い。またType-Cの形状では，映像信号の伝送や電力の供給ができる製品もあり，利便性も向上している。

　USB規格の登場後，各種ディジタル端末への対応や技術進化にともなって，さまざまなUSB端子の形状が生み出された。近年では，USB IFによってType-Cの形状に機能が集約されつつある。

*7　一般に普及している「Type-A」の形状の名称は日本での俗称であり，USB-IF（USBなどの規格策定を行う団体）による正式表記では「USB Standard-A」である。認証を受けた製品には，最高通信速度に応じた表記（ロゴ）を貼付できる。
　USB 3.0, USB 3.1はUSB 3.2に吸収され廃番となっている。

■表3.3——入力装置の例

名称		特徴
マウス タッチパッド キーボード		マウスはキーボードと同じようにPCに対して入力を行うデバイスである。キーボードが文字入力を行うのに対し，マウスはカーソルやポインタの移動，決定を行う。ノートPCではマウスの代わりにタッチパッドなどが採用されている。
スキャナ		書類など，平面的な対象を画像として取り込む機器がスキャナである。OCRソフトウェアにより，取得した画像に文字があれば，テキストデータに変換できる。また，立体物をデータとして取り込むことができる，3Dスキャナとよばれるデバイスもある。
Webカメラ		端末に搭載されたものや外付けのものがある。他者とのビデオ通話やウェビナーへの参加などによって，コミュニケーションを円滑にしたり，顔認証機能を用いてPCの不正利用を防止したりする。ライブ配信や動画撮影に対応する高画質の映像が撮影できる機種もある。

■表3.4——出力装置の例

名称		特徴
ディスプレイモニタ		画面に直接触れて操作を行うタッチパネル型の機種もあり，これは入力装置と出力装置の両方の機能をもつデバイスである。タッチした場所にカーソルやポインタが移動するため，直感的に操作できるメリットがある。
プリンタ		家庭用ではインクジェット方式のプリンタが主流である。微細な粒子状のインクを紙に吹き付け出力を行う。またプリンタとスキャナ，コピー機の機能を1つにまとめた複合機がある。
ワイヤレスイヤホン		Bluetoothで接続する。左右のイヤホンがケーブルでつながっているものや独立型のものがある。周囲の雑音を低減するノイズキャンセリング機能や，イヤホンを付けたままでも会話などの周りの音が聴こえる外音取り込み機能を備えたものもある。

■表3.5——代表的なUSB

規格	端子の形状
USB 2.0 Type-AはPCと周辺機器などの接続に利用する。	 Type-A （USB Standard-A）
USB 3.2 Micro-Bは，外付けHDDなどで使われることが多い端子である。 Type-Cは，スマートフォンやPCに標準で搭載されるようになった。表裏の区別がなく，どちらの向きでも差し込める。映像信号の伝送（Alternate Mode）や電力供給できるものがある（USB PD）。	　　 Type-A　　　Micro-B　　　Type-C

［2］Bluetooth Classic／Bluetooth Low Energy（BLE）

　PCとマウスやキーボード，スマートフォンとヘッドフォン，家庭用ゲーム機とコントローラなどのディジタル機器を2.4GHz帯の電波を用いてワイヤレスで接続する無線通信の規格にBluetooth Classicがある。機器間でペアリング認証を行い接続する。また，BLE[8]は低消費電力化と多様な接続構成を実現した規格である。スマートウォッチや活動量計など，低消費電力が求められるIoT機器で広く採用されている。なお，Bluetooth ClassicとBLEには互換性はない。伝送速度は最高でもBluetooth Classicで3Mbps，BLEで2Mbps程度であるため，動画や長時間の音響などといった容量が大きいファイルの伝送には向いていない。

［3］HDMI

　HDMI（High-Definition Multimedia Interface）は，PCとディスプレイモニタや，液晶テレビとディジタルビデオレコーダなどの接続に用いられており，1本の配線で映像と音，データ[9]を伝送することができる。PCで使われているものもDVDやBlu-rayなどの映像機器で使われているものも，HDMIの規格が同じであればまったく同じものである。たとえば，HDMI対応のテレビにHDMI出力が可能なコンピュータを接続すればディスプレイとして利用できる。HDMIと同様の仕様としてDVI（Digital Visual Interface）があり，HDMIはこれを拡張した仕様である。表3.6（つぎのページ）に代表的な映像用のインタフェースを示す。

　HDMIにはバージョンが複数あり，出力できる解像度やフレームレート[10]が異なっている。HDMIのバージョンによっては4Kや8Kに対応していないものがあるため，利用には注意が必要である。

*8　一般に普及している「BLE」の名称は日本での俗称であり，Bluetooth SIG（Bluetoothの規格策定を行う団体）による正式表記では「Bluetooth LE」である。

*9　HDMIでは，ディジタルコンテンツの著作権保護機能が盛り込まれている。またUSBのように，接続するだけで機器を判別するようになっている。

*10　フレームレートについては2-5-1を参照のこと。

■表3.6——代表的な映像用のインタフェース

名称		特徴
HDMI		標準的なType-A(左写真)のほか, マイクロHDMI端子のType-CやType-Dがある。HDMI 1.4, HDMI 2.0, HDMI 2.1 などのものがおもに利用されている。バージョンの数値が上がるほど新しく, データ伝送速度が高い。
DisplayPort		映像出力インタフェースの規格であり, ディジタル信号を入出力する。それ以前に同様の目的で使われていたDVIからの置き換えを大きな目的として策定された。
アナログRGB D-Sub		PCとディスプレイモニタを接続するために使われていた端子。アナログの映像信号を入出力するために用いられる。現在のPCでは, HDMIやDisplayPortが使われていることが多い。

(提供:株式会社バッファロー)

[4] ネットワーク端子／無線LAN

PCをネットワーク(LAN)に接続するためのインタフェースである。ケーブルを使って接続する有線LANと, 無線を利用する無線LANに分けられる。有線LANの代表的な規格にはイーサネットがある。1000BASE-Tや2.5GBASE-Tなどがあり, それぞれ通信速度などが異なる。代表的なネットワーク端子を表3.7に示す。無線LANの規格にはIEEE 802.11acやIEEE 802.11axなどがあり, 通信速度や利用する周波数帯が異なる。[11]

*11 有線LANおよび, 無線LANについては, 4-2-4を参照のこと。

■表3.7——代表的なネットワーク端子

名称		特徴
イーサネット		オフィスや家庭でコンピュータどうしを物理的に接続するための規格として多用されている。有線でネットワークに接続する場合, 写真のRJ-45とよばれるコネクタをもつネットワークケーブルを利用する。

(提供:株式会社バッファロー)

3-2-**7** ポータブル記録メディア

　データをコンピュータから取り外して長期的に保存したり，別の場所に移動したりする場合には記録メディアを使用する。

[1] フラッシュメモリ

　データをやりとりする際には，不揮発性の**フラッシュメモリ**素子で構成されたメモリが使われることが多い。データを繰り返し書き換えることができ，PCのデータをやりとりする際に使われるUSBメモリや，ディジタルカメラで使われるSDメモリカードなどがある（表3.8）。

■表3.8――不揮発性のフラッシュメモリ素子で構成されたメモリの例

名称		特徴
USBメモリ		端末のUSBポートに差し込むことで，ファイルのやりとりができる。1TB以上の容量の製品もある。USB 2.0，3.2などの規格によって伝送速度が異なり，数値が上がるほど伝送速度が高い。
microSDメモリカード SDメモリカード		microSDメモリカード（写真上）とSDメモリカード（写真下）がある。microSDメモリカードは変換アダプタを使うことでSDメモリカード用の機器に対応する。1TB以上の容量の製品もある。

[2] 光学メディア

　データの保存や，流通・販売を目的とする際には，一般に光学メディアが使われる。光学メディアは直径12センチの円盤型で，レーザ光線を利用してデータの読み書きを行う。一度だけ書き込めるCD-RやDVD-R，BD-Rと，何度か書き換えられるCD-RWやDVD-RW，BD-REなどがある。表3.9（つぎのページ）に光学メディアの例を示す。

　データのバックアップや市販された音楽・画像コンテンツにはCDやDVDが，映像コンテンツにはBDが使われることが多い。光学メディアにデータを書き込む場合，再生の互換性を確保するためには各コンテンツに応じて適切なファイル形式を設定する必要がある。たとえばCD-Rに音楽データを保存したい場合は，音楽CD用の書き込みの手順に従ってデータを書き込む必要がある。ファイル形式をオーディオCD形式に設定すれば音楽のCD（オーディオCD）が作成される。この形式にせずに音楽データを書き込むとデータCDとして扱われるため，オーディオプレーヤによっては再生できない場合がある。DVDに映像データを保存したい場合も同様に，適切なファイル形式を設定しなければDVDプレーヤで再生できない場合がある。

光学メディアに保存されたデータは，光学メディア自体の経年劣化により読み書きができなくなることがあり，永続的な保存は期待できない。また光学メディアの表面が露出しているため，キズや汚れによって読み書きができなくなる場合もある。

■表3.9──光学メディアの例

名称	特徴
CD	CD-Rは一度だけデータを書き込める。書き込んだデータは消去できない。CD-RWはデータの書き込みと消去が何度も実行できる。CDに書き込めるデータ容量は約700MBである。
DVD	DVD-Rは一度だけデータを書き込める。書き込んだデータは消去できない。DVD-RWはデータの書き込みと消去が何度も実行できる。DVDはCDの約7倍の4.7GBを保存できる。また2層のDVDを使用した場合，さらにその2倍弱の8.5GBの容量を書き込むことができる。
BD （Blu-ray Disc）	BD-Rは一度だけデータを書き込める。書き込んだデータは消去できない。BD-REはデータの書き込みと消去が何度も実行できる。1層で25GB，2層で50GBまで書き込める。拡張規格のBDXLでは記録密度を高め，記録層を従来の最大2層から4層とすることによって大容量化を果たしている。

[3] テープ

　データの長期的な保管やバックアップのためにテープを用いる方法もある。1カートリッジあたりの記憶容量が大きく（2023年現在18TB，LTO-9の場合），今後数世代先まで容量増大の計画が公開されているものもある。信頼性が高く長期保存できることが特徴で，サーバのバックアップなどに使用されている。

3-2-8　電源の供給

コンピュータに用いる電子回路，機構部品は電力をエネルギー源とする。商用電源は，日本では交流100Vであるが，電子回路は低電圧（1～5V程度）の直流を電源としている。コンピュータ用のモータ（の多く）は直流を用いる。そこで，商用電源をコンピュータ用に変換する**電源装置**が必要となる。電源装置は，対応できる電力[*12]（W）が決まっている。消費電力が多い回路（高クロックのCPUや大規模なGPU）には，大電力の電源装置が必要となる。

＊12　一般には「容量」とも表現される。

ノートPCでは，商用電源を直流に変換する電源装置を，**ACアダプタ**とよぶことが多い。ノートPC内で各回路に最適な電圧に変換している。

近年，USBを電源として使用する例も増えてきた。USBは供給できる電力が数ワットから10ワット程度で，スマートフォンの充電程度までが主用途となる。USBは，端子形状，電圧，電流が明確に決まっており，供給も豊富なため多くの用途に適用されている。また，USBのType-C型端子を通じて電力供給を行う**USB PD**規格が制定され，最大240W（2022年10月時点）の電力を供給できるようになっている。USB PDを活用するためには，識別ICを埋め込んだケーブルを使う必要がある。ソースとよばれる電力供給側は，シンクと称する受電側とケーブルから返される信号によって適切な電圧・電流値を判断する。1つのソースに対して複数のシンクを接続することも可能である。USB PDにより，電力供給と信号交換を1本のケーブルでより汎用的に行えるようになった。

充電器と充電対象の間を「金属面は非接触」のかたちで結ぶ「非接触給電」も実用化されている。被覆された面どうしは接触しているが，数ミリメートルから1センチメートル離れても充電できる。多くの方式では電磁界結合を利用するため，充電器と充電対象の間に金属が入ると発熱などの問題が起きる。機器には安全装置が組み込まれているが，利用者の配慮も求められる。近い将来，別の方式による大電力化も見込まれており，ノートPC程度であれば電力供給も無線化されそうである。

充電可能な電池は**二次電池**とよばれる。モバイル機器に内蔵される電池は，ほぼすべてこの型式である。

USBを経由して充電できる携帯型のモバイルバッテリも増えている。電池に表示された以上の電力は取り出せないため，接続機器の消費電力に合わせて電池を準備する。リチウムイオン型の場合は発火を警戒するため，輸送や預け入れに制約がある。この電池を内蔵した機器も同様である。

3-3
オペレーティングシステム

コンピュータを使用するためには，OSとよばれる基本ソフトウェアが必要であり，OSはコンピュータのハードウェアやアプリケーションソフトウェアなどを一括して管理する。ここでは，OSのしくみをはじめ，その役割と種類について解説する。

3-3-1　ソフトウェア

　コンピュータを構成する装置や電子回路，周辺機器などの物理的実体をハードウェアとよぶのに対して，形をもたないプログラムやアルゴリズム（考え方）などを**ソフトウェア**とよぶ。とくに，コンピュータを動作させる手順や命令をコンピュータが理解できる形式で記述したプログラムをソフトウェアとよぶこともある。　ソフトウェアの構成とハードウェアとの関係を図3.4に示す。ソフトウェアは，**オペレーティングシステム**（OS：基本ソフト）と**アプリケーションソフトウェア**に大別される。「Windows」や「macOS」，「UNIX」などはOSに，ワープロソフトや表計算ソフトなどはアプリケーションソフトウェアに分類される。

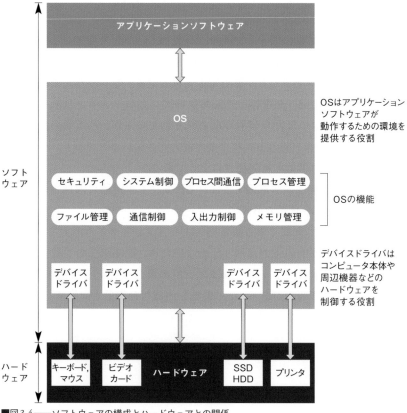

■図3.4──ソフトウェアの構成とハードウェアとの関係

3-3-2　オペレーティングシステムとは

　図3.4に示した**OS**（Operating System）はメモリ管理，プロセス管理[*13]，ファイル管理，アプリケーションソフトウェアの実行など，コンピュータシステム全体を管理する。OSはさまざまなシステムで利用されており，PCやスマートフォン，タブレット用のOSがある。また組み込み機器などで使われるRTOS（Real-Time Operating System）もある。

*13 OS上でアプリケーションソフトウェアが実行される単位のことをプロセスとよぶ。

[1] OSの役割

　OSの役割は，コンピュータシステムのもつ資源（リソース）の管理で，これには記憶領域，タスク時間，利用者，周辺装置の利用時間などが含まれている。

　キーボードやマウス，プリンタなどの周辺機器をOSを介して制御するためのプログラムを**デバイスドライバ**とよび，一般には各周辺機器のメーカから提供されている。ユーザは事前にOSにデバイスドライバをインストールして周辺機器を利用する。

　OSの機能の強化やセキュリティ上の問題点（脆弱性）を修正するプログラムの更新を**アップデート**とよび，インターネット経由で行うことを**オンラインアップデート**とよぶ。図3.5に示すように，たとえば「Windows」ではWindows Updateとよばれるプログラムを配信するしくみを構築して，迅速にアップデートする環境を整えている。

■図3.5——Windows Updateページ

[2] OSの種類

　2023年現在，PCで最も多く利用されているOSは，マイクロソフト社の「Windows」シリーズである。アップル社のPCである「iMac」や「MacBook」のOSとしては「macOS」がインストールされている。「macOS」は「UNIX」というOSをもとに開発が行われており，「UNIX」がもつ各種ソフトウェアとの互換性が高い。「Linux」も「UNIX」をもとにしたOSで，ソースコードを公開する**オープンソース**で開発が進められており，多くのエンジニアが開発に携わっている。PCを利用するユーザには，「Linux」に接する機会はあまり多くないが，サーバ構築や大規模なシステム開発などに利用され広

く普及している。

　スマートフォン用のOSには，アップル社が開発する「iOS」とグーグル社の「Android」の2種類がおもに使われている。PCのOSと同様の各種管理やアプリケーションソフトウェアの実行などを行う基本機能とともに，スマートフォンやタブレットに最適化されたユーザインタフェースを備えている。代表的なOSの種類を表3.10に示す。

　OSはクラウドへの対応が積極的に図られている。これについてはchapter 5で解説する。

■表3.10——代表的なOSの種類

名称	開発元	対象デバイス
Windows	マイクロソフト社	PC, サーバ, 組み込みデバイスなど
macOS	アップル社	PC
Linux	オープンソース	PC, サーバ, 組み込みデバイスなど
iOS	アップル社	スマートフォン
iPadOS	アップル社	タブレット
Android	グーグル社	スマートフォン, タブレット, 組み込みデバイスなど

[3] 仮想化

　プロセッサの性能とソフトウェア技術の向上により，従来ハードウェアで実現していた機能をソフトウェアで置き換えても，現実的な処理時間で対応できるようになった。このように，物理的なものを別の仮想的なもので構成して置き換えることを，**仮想化**とよぶ。

　たとえばアップル社のOS「macOS」が搭載されたPC上で，マイクロソフト社のOS「Windows」が使えるなど，1つのOSの上で複数の別のOSを，互いに干渉することなく動かすことができる。また「Windows 11」では，グーグル社のOS「Android」で実行するアプリが「Windows」上でも動作する機能が実装された。それにより，これまで「Android」搭載のスマートフォンがなければ使えなかったアプリやゲームなどのコンテンツが「Windows」上でも利用可能となった。

chapter 4

インターネット

ICT（情報通信技術）が注目されるようになったのは，インターネットの急速な普及と，廉価で安定した高速な通信が実現したためである。インターネットに接続する方法には，固定回線を屋内に設置するものや，電気通信事業者が提供するモバイルデータ通信サービスを利用するものがある。ここでは，インターネットのしくみや接続に必要となるものについて解説する。

4-1

インターネットのしくみ

インターネットの特徴は、コンピュータどうしがつながった世界規模によるネットワークの相互接続と公共性にある。ここでは、そのような特徴が具体化するに至った背景とともに、インターネットのしくみについて解説する。

4-1-1　インターネット

コンピュータネットワークとは、複数のコンピュータどうしを通信回線で接続し、相互にデータをやりとりしたり、別のコンピュータがもつ機能を呼び出したりするしくみである。コンピュータどうしがネットワークでやりとりする際に、相互に決められた約束ごとの集まりを**通信プロトコル**あるいは単に**プロトコル**とよぶ。

このしくみを世界規模で実現したものが**インターネット**である。図4.1に示すように、インターネットは、通信プロトコルTCP/IP[*1]を用いて全世界のネットワークを相互に接続した巨大な分散型のコンピュータネットワーク[*2]である。

[*1]　TCP/IPについては、4-1-4を参照のこと。

[*2]　分散型のコンピュータネットワークとは、全体を統括する存在(機器、組織など)がないネットワークのことである。全体を統括する存在がある集中型のネットワークでは、主たる機器に障害が発生し組織がサービスを中断すると、機能全体が止まってしまう危険性をもつ。これに対して分散型のネットワークでは、ネットワークにつながったそれぞれの組織が個別にサービスを提供しており、部分的な問題が全体に致命的な影響を及ぼすことを避けられる。たとえばネットワークのある部分の通信回線が切断されても、別の経路を使って通信を確保することで、ネットワークとしてのサービスが停止することを避けられる。

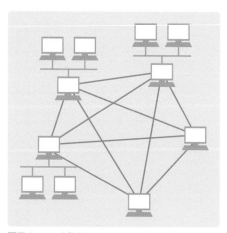

■図4.1——分散型のコンピュータネットワーク

4-1-2　インターネットの歴史

1969年、米国のカリフォルニア大学ロサンゼルス校、カリフォルニア大学サンタバーバラ校、ユタ大学、スタンフォード研究所のそれぞれのコンピュータをNetwork Control Programというプロトコルで接続した「ARPANET」とよばれるコンピュータネットワークが誕生した。当時、多くのコンピュータネットワークでは独自の通信プロトコルを使用し、それぞれが独立したコンピュータネットワークとして存在していた。1983年、

「ARPANET」がTCP/IPとよばれる通信プロトコルを採用し，さらにほかのコンピュータネットワークでもTCP/IPを採用した。これによりコンピュータネットワークどうしの相互接続が可能となったことで，TCP/IPを共通の通信プロトコルとする1つの大きなネットワークが構築された。これがインターネットの誕生である。TCP/IPは代表的なプロトコルであり，現在，世界中のネットワークで広く利用されている。

当時のインターネットは，大学や研究機関の限られた組織だけが接続できるネットワークであったが，1990年代に入り商業組織との相互接続が許可されたことで，インターネットへの接続をサービスとして提供する通信業者である**インターネットサービスプロバイダ**[*3]（ISP：Internet Service Provider）が数多く登場し，一般ユーザによる接続が可能となった。

1995年にマイクロソフト社のOS「Windows 95」が登場しPCが広く普及したことをきっかけに，多くのユーザがインターネットに接続する環境が整備された（図4.2）。

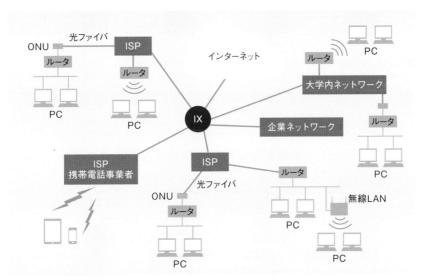

■図4.2——インターネットのしくみ

*3　自社が保有する通信回線の一端をユーザと接続し，他方をIX（ネットワークの相互接続を行うための結節点となるもの）経由でほかのISPと接続している。また，あるISPから別のISPに枝分かれしている場合もある。このISPどうしの相互接続を広げていくことで，現在のインターネットが形成された。

　パケット交換方式

家庭内や組織内での情報共有や機器間のデータ連携などを目的として，敷地内や建物内など，比較的狭い範囲でコンピュータどうしを接続して構築するコンピュータネットワークを**LAN**[*4]（Local Area Network）とよぶ。図4.3に示すように，AからDまで4台のコンピュータがつながっているとする。通信終了まで経路を占有する**回線交換方式**では，AとCが通信していると，BとDの間の通信はAとCの通信のため開始することができない。AとCの間の通信が終わるまでBとDは待たなければならないため非常に効率が悪い。そこで，効率よく通信路を使うためにデータをある程度の大きさに分けて細切れに送り出す方法が考え出された。これを**パケット交換方式**とよび，この細切れにしたデータの固まりを**パケット**とよぶ。

*4　同一組織内のネットワークは，距離にかかわらずLANとよぶ場合もある。それに対して，遠隔地を結んだ広域ネットワーク，とくに商用のネットワークはWAN（Wide Area Network）とよばれる。

パケット交換方式では，通信を中継する機器が受け取ったパケットを回線が空いたタイミングで送出するため，いったん蓄積するしくみを備えている。それぞれのパケットにはヘッダとよばれる部分に宛て先情報などが記されており，この情報をもとに送られる。

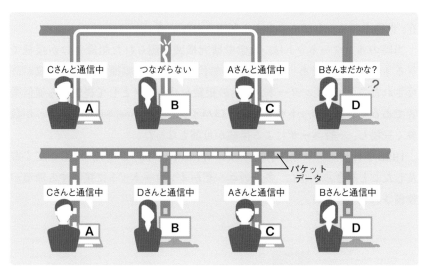

■図4.3——回線を占有する場合（上）とパケット交換方式の場合（下）

4-1-**4**　TCP/IP

　インターネットで情報を通信相手に伝達するためのプロトコルが**IP**（Internet Protocol）である。図4.4にIP通信のしくみを示す。

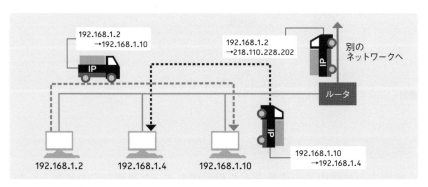

■図4.4——IP通信のしくみ

　IPは，コンピュータどうしを接続する有線ケーブルや電波の「道路」を使って相手に情報を送り届けるための端末の「住所」を表記するしくみである。IPを使った通信では，データを送受信する端末の「住所」にあたる**IPア****ドレス**を割り当てる必要がある。IPはデータを送信する際に，データに宛て先や送信元の端末のIPアドレスを記載したヘッダを付け加える。
　TCPは通信相手とのデータの整合性を保証するプロトコルである。データをパケットに分割し，順番をつけて送り出したり，受信したパケットを番号順に並び替えたりするなど，パケットを制御する。通信相手のデータの受

信を確認して，パケットに欠損があれば再送を要求する。

このIPとTCPによってデータ通信を可能とする通信プロトコルをTCP/IPとよぶ。[*5] 通信時には，通信を中継する機器であるルータがデータの情報を読み取り，「ここに行くためにはどこを通ればよいか」という判断を行いながら適切に相手に届くように制御する。適切な経路を選択してパケットを転送することをルーティングとよぶ。

＊5 TCP/IPはIPを利用した通信プロトコルの総称を指す場合もある。

4-1-5 DNS

実際の建物に住所があるように，インターネットに接続されているコンピュータ1台1台にもIPアドレスがある。IPアドレスはインターネットに接続されたPCやサーバ[*6]を識別するための値であり，「122.216.138.79」のように数字の組み合わせで表現される。しかし，人間には直感的にわかりづらいため，「cgarts.or.jp」のように「.」で区切られた単語の組み合わせで表現されるドメイン名が利用されている。このドメイン名とIPアドレスを相互に変換するためのしくみをDNS（Domain Name System）とよぶ。

＊6 利用者からのリクエストに対して，何らかのサービスを提供する機能をサーバとよぶ。サーバには，実装された機能の違いによってさまざまな役割があり，Webページを表示するためのWebサーバ，ドメイン名とIPアドレスを管理するDNSサーバ，データを共有するためのファイルサーバなどがある。サーバはソフトウェアによって実現され，1台のコンピュータに複数のサーバを実装することもできる。5-1-2も参照のこと。

[1] ドメイン名の構成

図4.5に示す「cgarts.or.jp」というドメイン名の例の場合，右から順にトップレベルドメイン，セカンドレベルドメイン，サードレベルドメインとよばれる。「jp」というトップレベルドメインは国情報を表し，日本であることを示している。セカンドレベルの「or」は企業以外の法人組織であることを表し，サードレベルの「cgarts」は申請者により登録された名称である。したがって，この例の場合は「日本にあるcgartsという法人（公益財団法人）のドメイン名」であることがわかる。

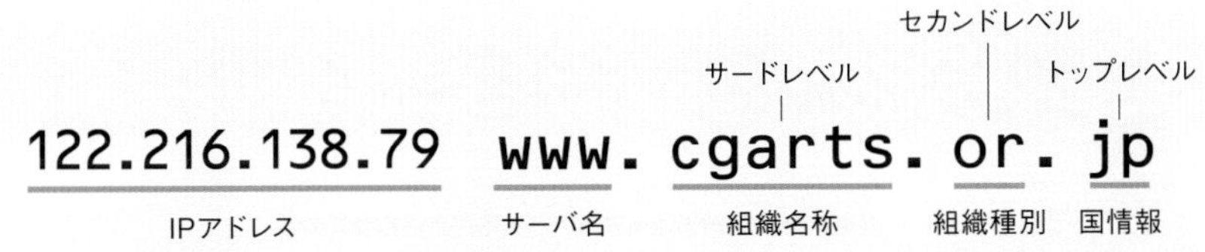

```
                                        セカンドレベル
                            サードレベル         トップレベル
122.216.138.79   www. cgarts. or. jp
   IPアドレス       サーバ名   組織名称   組織種別 国情報
```

■図4.5──ドメイン名の例

トップレベルドメインは，大きくジェネリックトップレベルドメイン（gTLD）とカントリーコードトップレベルドメイン（ccTLD）に分けることができる。gTLDには，特定の団体や組織に対象や用途を限定するもの（たとえば，米国政府機関を対象とする「gov」やアジア太平洋地域の法人を対象とする「asia」など）や，対象に制限がなく自由な用途で世界の誰もが登録できるもの（たとえば，企業などの商業組織用の「com」や，非営利組織用の「org」，対象に指定のない「info」など）がある。ccTLDは，日本の「jp」や米国の「us」など国や地域を対象に割り当てられている。

「.jp」が付くドメイン名はJPドメイン名ともよばれ，学校法人や国立大学

法人などの教育機関を対象とする「ac.jp」や，株式会社・合同会社などの企業を対象とする「co.jp」，財団法人や社団法人などの団体・組織を対象とする「or.jp」など，組織の種別や属性を表す属性型（組織種別型）JPドメイン名がある。また，セカンドレベルおよびサードレベルに都道府県名などを指定できる地域型ドメイン名（たとえば，東京都千代田区の場合は，「chiyoda.tokyo.jp」となる）[*7]や，個人，法人にかかわらず，日本国内に住所があれば用途などに制限なく利用できる汎用JPドメイン名がある。表4.1〜表4.3にトップレベルドメインとJPドメイン名の例を示す。[*8]

*7　地域型ドメイン名は，地域に密着した組織や地方公共団体などが利用できるものであるが，個人でも取得することができる。

*8　ドメイン名に日本語をそのまま使用する日本語ドメイン名もあるが，Webブラウザ以外での表示ができず，またサーバによっては利用できない場合がある。

■表4.1──gTLDの例

名称	用途
biz	ビジネス（商用限定）
com	商業組織
info	用途の制限なし
int	国際機関
museum	博物館，美術館など
name	個人名
net	通信業者
org	非営利団体
travel	旅行関連業界

■表4.2──ccTLDの例

名称	国名
au	オーストラリア
ca	カナダ
cn	中国
de	ドイツ
fr	フランス
jp	日本
kr	韓国
uk	イギリス
us	アメリカ合衆国

■表4.3──JPドメイン名の例

名称	対象
ac.jp	大学など高等教育機関
co.jp	株式会社，合同会社など
ed.jp	小・中・高校など，ac以外の教育機関
go.jp	政府機関（各省庁など）
ne.jp	プロバイダなどの通信事業
or.jp	財団法人，企業以外の法人組織
地域名	地域型ドメイン名の場合，「chiyoda.tokyo.jp」，「tokyo.jp」など

[2] DNSのしくみ

ドメイン名とIPアドレスを対応付けるために，データベースを参照してドメイン名をIPアドレスに置き換える役目を担うのが**DNSサーバ（ネームサーバ）**である。図4.6に示すように，DNSクライアント[*9]からDNSサーバに問い合わせを行い，それに対して応答する。

*9　図4.6の場合，ユーザのPCで動作するドメイン名に対応するIPアドレスをDNSサーバに問い合わせるプログラムのこと。なお，WebブラウザでWebページを閲覧する場合，Webサイトの指定はドメイン名だけでは不十分でありURLを用いる。URLの詳細については，5-1-4を参照のこと。

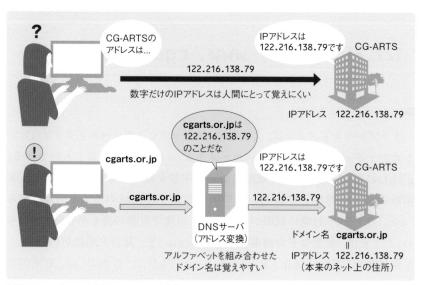

■図4.6──ドメイン名をIPアドレスに変換するしくみ

ネームサーバはドメイン名で示されるドメインの階層ごとに配置されている。図4.7に示すように、「cgarts.or.jp」の場合、まずルートサーバに問い合わせが送られ、「jp」ドメインを管理するネームサーバが参照される。つぎに「or」ドメインのネームサーバに参照が引き継がれ、そこで「cgarts」というドメイン名のネームサーバに問い合わせが行われる。このとき「cgarts.or.jp」以下にWebページなどが公開されていた場合、「www.cgarts.or.jp」のホストコンピュータのIPアドレスが回答される。[*10]

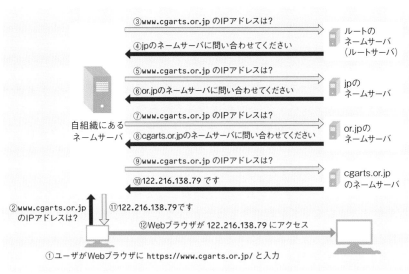

■図4.7——ネームサーバのしくみ

4-1-6　IPv4 と IPv6

IPアドレスは、これまで**IPv4**（Internet Protocol Version 4）とよばれるしくみによって管理されてきた。PCやスマートフォンなどの通信機器以外にウェアラブル端末や情報家電が普及し、ホームオートメーションなどに利用されるIoT機器が増加してインターネットに接続する端末や機器の数が増大した。そのため、IPv4で割り当てることができる2の32乗個（約43億個）のIPアドレスでは枯渇するとの懸念から、大きな問題として取り上げられるようになった。そこで、IPアドレスを128ビットで管理することで2の128乗個（340潤個[*11]）の膨大な数を割り当てることができる**IPv6**（Internet Protocol Version 6）が使用されるようになった。

IPv6では実質的なIPアドレスの枯渇を心配する必要はないが、従来のIPv4と直接通信することができないという問題がある。IPv6への移行に際して、Webサイトや回線事業者の通信機器、利用者のPCなど、インターネットに接続する機器をいっせいにIPv6へと切り替えることは不可能なため、現在はIPv6とIPv4が併用されていたり、必要に応じて両者を変換したりするなどの対処がなされている。

*10 多くのWebブラウザではキャッシュ機能を備えている。インターネットから読み込んだデータをコンピュータに保存しておき、同じページを再度表示するときはネットワークを介さずコンピュータのデータを表示してページの表示速度を上げるしくみである。そのため毎回ルートサーバに問い合わせるわけではない。Webブラウザとキャッシュについては、5-1-1を参照のこと。

*11 潤＝10の36乗。1兆の1兆倍の1兆倍。

4-2
インターネット接続環境

インターネットを利用するためには，ISPやPCなどの端末以外にも，ケーブルやアプリケーションソフトウェアなど必要なものがいくつかあり，利用するサービスに応じて必要な機器が異なる。ここでは，インターネットを接続するために必要となるものについて解説する。

4-2-1　インターネットに接続する方法

ユーザはインターネットの使い方に応じて接続環境を検討し，インターネットサービスプロバイダ(ISP)が提供する接続サービスを選択する。自宅で動画配信サービスを利用したり，オンラインゲームを楽しんだりするときや，職場と大容量のデータをやりとりするときなど，屋内で安定して高速にインターネットに接続するときには，一般に光ファイバケーブルによる通信回線(FTTH)やケーブルテレビの固定回線による接続が適している。また，自宅でインターネットを利用する機会が少なく外出先での利用が中心であれば，携帯電話サービスを提供する電気通信事業者が構築したネットワーク(携帯電話網)を利用するモバイルデータ通信や，公衆無線LANを利用した接続が考えられる。

図4.8にインターネットに接続する方法の例を示す。4-2ではISPと契約し，通信回線を自宅や職場に設置して通信機器によりインターネットに接続する方法について，4-3では携帯電話網を利用したモバイル回線による接続方法について解説する。

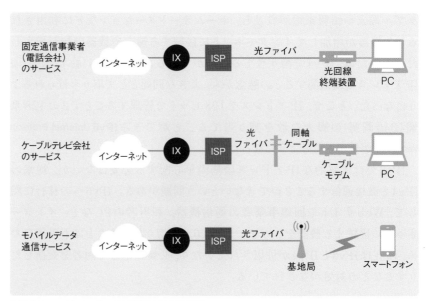

■図4.8——インターネットに接続する方法の例

4-2-**2**　インターネットサービスプロバイダ

　自宅や職場に通信回線を設置してインターネットに接続するには，接続サービスを提供するISP，光ファイバなどの通信回線と通信機器，そしてPCやスマートフォンなどの端末が必要である。

　インターネットに接続するための通信回線と通信に必要なIPアドレスの割り当ては**インターネットサービスプロバイダ**(ISP)が担当する。ISPは，自社のネットワークにユーザを接続させ，さらに，プロバイダどうしの相互接続ポイントであるIXに接続する。これによりユーザはインターネットへのアクセスルートを確保できる。ほかにもISPでは，電子メール用のアドレスや，Webサイトを作成するために必要となるサーバを貸し出すサービスがある。

4-2-**3**　接続回線

　現在最も利用されている固定回線による接続方法は**FTTH**(Fiber To The Home)であり，伝送媒体に**光ファイバ**を利用して，高速で大容量のデータ通信を実現している(図4.9)。インターネットからユーザ側に向かう通信の「下り方向」とその逆方向の通信の「上り方向」のどちらの通信でも，同等の速度を発揮できる利点もある。

　家庭向けに提供されている光ファイバを利用したサービスでは，光を明滅させてオン／オフを繰り返すことでディジタル信号を伝送している。光ファイバを利用した通信は，電気信号，あるいは電波を使用した通信よりも電気的なノイズに強く，高速で安定した通信ができる利点がある。

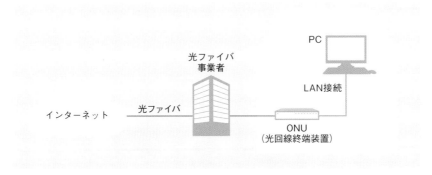

■図4.9——光ファイバによるインターネット接続の例

　有線テレビ放送に使用されている回線にケーブルモデムを接続して，テレビ放送とデータ通信を同時に行えるようにした，ケーブルテレビ会社による**ケーブルテレビ**の接続サービスがある。伝送媒体に同軸ケーブルを利用するが，加入者宅までの経路上において光ファイバを利用する場合が多く，高い伝送速度を保証するサービスもある。またISPによっては，加入者宅までを直接光ファイバで接続するサービスを提供しているものもある。表4.4に通信回線とそれに必要となる通信機器の例を示す。

■表4.4——通信回線と通信機器の例

ネットワーク媒体	必要な機器	おもな用途
光ファイバ	ONU （Optical Network Unit）	光信号と電気信号とを相互に変換してデータ通信を可能にする。
ケーブルテレビ	ケーブルモデム	ケーブルを通じてやりとりされた信号をIPパケットに変換したり，その逆を行ったりする。

4-2-4 通信機器

複数のコンピュータを利用している場合は，それらが互いに通信できるようにLANを構築し，ISPを介してLANとインターネットを接続する方法が一般的である。コンピュータをLANに接続する方法は，ケーブルを使って物理的に接続する有線LANと，電波を利用して無線で接続する無線LANに分けられる。

[1] ルータ

LANとインターネットを接続する場合，その境界に**ルータ**を設置する。図4.10にルータ機器の例を示す。ルータは通信データ（パケット）の宛て先を読み取り，「LAN内部を行き来する通信」と「LANとインターネットの間を行き来する通信」を正しく区別して，適切な相手に送り届けるために制御・管理する役割を果たす。

図4.11に示すように，ルータは複数のネットワークインタフェースをもち，いずれかのネットワークインタフェースから送られてきたパケットの宛て先をチェックし，必要に応じて別のネットワークインタフェースへ送出する。自宅のLANとインターネットを接続するルータであれば，一方のネットワークが自宅LAN，もう一方がインターネット（ISPのネットワーク）になり，自宅LAN上のコンピュータとインターネット上のサーバなどとの通信を中継することになる。

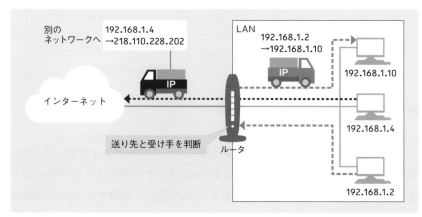

■図4.11——ルータの役割

■図4.10——
有線LANルータの例
「BHR-4GRV2」
（提供：株式会社バッファロー）

インターネットを通じて自宅や職場のLANに不正にアクセスされることを防ぐために，アクセス制御の対策を施す必要がある。LANに出入りするアク

セスを管理し，接続の許可の判断や不正アクセスの遮断を行うしくみを**ファイアウォール**とよぶ。

[2] 有線LAN

コンピュータどうしをLANケーブルなどの電線で結びLANを構築する方法を**有線LAN**とよぶ。有線接続の通信規格の1つであるイーサネットが最も普及している。イーサネットの通信規格において有線でネットワークに接続する場合は，おもに図4.12に示すRJ-45とよばれるモジュラジャック型のコネクタが使用され，ケーブルそのものの仕様に関してもカテゴリとよばれる分類で規定されている。異なるメーカの製品でも相互に問題なく接続でき，安定した通信を行うことができる。有線LANでは最高通信速度1Gbpsのギガビットイーサネット規格である1000BASE-Tが主流となっている。

各コンピュータを接続する中継点に**ハブ**とよばれる機器を利用し，ケーブルをポート（差し込み口）に差し込んで接続する。ハブには，データの伝送方法によっていくつかの種類があり，一般には図4.13に示す**スイッチングハブ**とよばれるタイプがおもに利用されている。スイッチングハブは，図4.14に示すようなしくみを内蔵しており，宛て先に指定したポート以外にはデータを送出しない。そのため，無駄な通信が減って効率がよくなる利点がある。

また現在市販されているスイッチングハブのほとんどは，送信と受信を同時に行うことができる全二重通信ができるため伝送効率が高い。

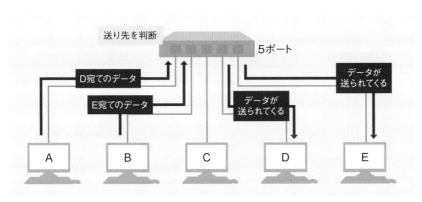

■図4.14——スイッチングハブによる接続の例

[3] 無線LAN

図4.15に示すように，ケーブルの代わりに電波を用いて接続するものを**無線LAN**とよぶ。自宅や職場でコンピュータを自由に持ち歩いてネットワークを利用できる。また，建物の構造などの理由でケーブルを配線することが困難な場所にも向いている。

屋内で無線LANを構築し，スマートフォンや携帯ゲーム機などのコンピュータを建物内のどこからでもインターネットに接続できるようにする

■図4.12——
LANケーブル
「BSLS7NU100BL」
（提供：株式会社バッファロー）

■図4.13——
スイッチングハブ
「LXW-10G2/2G4」
（提供：株式会社バッファロー）

*12 スイッチングハブはネットワークスイッチともよばれる。

chapter

4

2-4

インターネット接続環境

*13 無線LANの接続形態には2つの方法があり，無線LAN機能を備えた機器どうしで直接通信を行うものをアドホックモード，無線LANアクセスポイントとよばれる中継拠点を介して接続を行うものをインフラストラクチャモードとよぶ。通常，複数のPCからインターネットに同時接続できるようにするためには，インフラストラクチャモードを使用する。

には，無線LANアクセスポイントを利用する。一般に，家庭で使用するルータは無線LANアクセスポイント機能を備えており，無線LANアクセスポイントを経由してコンピュータをインターネットに接続できる。[*14] 図4.16に無線LANルータの例を示す。

*14 コンピュータが無線LANに対応していない場合は，無線LANアダプタ（無線LAN子機）とよばれる製品を利用することで無線LANに接続する。

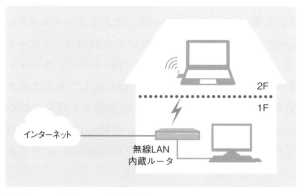

■図4.15——無線LANの接続の例

■図4.16——
無線LANルータの例
「WSR-5400AX6S-MB」
（提供：株式会社バッファロー）

無線LANの通信規格の1つに，電気技術に関する世界最大の学会であるIEEE[*15]（Institute of Electrical and Electronics Engineers：米国電気電子学会）の802.11委員会で定められたIEEE802.11がある。**Wi-Fi**とよばれる名称で広く普及しており，Wi-FiはIEEE802.11の通信規格で相互に問題なく接続できる機器であることを示している。[*16] 表4.5にIEEE802.11の通信規格の一部を示す。

無線LANは，暗号化により通信の保護が可能で，WPA2やWPA3などの新世代の暗号化方式や認証方式を用いたセキュリティプロトコルが利用されている。[*17]

*15 ICT関連技術の規格の策定も行っている。

*16 「Wi-Fi」は無線LANの通信規格の普及を目的に発足したWi-Fi Allianceという業界団体の登録商標である。

*17 暗号化については，9-1-1を参照のこと。

■表4.5——無線LANの規格（IEEE802.11）

規格	伝送速度（最大）	周波数帯域	特性
IEEE802.11ax	9.6Gbps	2.4GHz帯 5GHz帯 6GHz帯	障害物や混信，ほかの無線機器の影響を受けにくい。複数のコンピュータを同時に接続しても安定した通信ができる。
IEEE802.11ac	6.9Gbps	5GHz帯	混信やほかの無線機器の影響は少ないが，障害物の影響を受けやすい。
IEEE802.11n	600Mbps	2.4GHz帯 5GHz帯	障害物や混信，ほかの無線機器の影響を受けにくい。
IEEE802.11g	54Mbps	2.4GHz帯	伝送距離が長めで，障害物の影響を受けにくい。混信やほかの無線機器の影響を受けやすい。

オンライン授業や在宅勤務により自宅でも高速で安定した通信環境が求められている。さらにスマートフォンやタブレットなどの携帯端末やスマートウォッチに代表されるウェアラブル端末，情報家電などのIoT機器といった，複数の端末や機器を同時にインターネットに接続することが多くなった。1階のリビングから屋根裏などまでの広い範囲で，どこでも場所を選ばずに安定してインターネットに接続するためのしくみに**メッシュWi-Fi**があ

る。図4.17に示すように，アクセスポイント（親機と中継機）どうしが接続して網目（メッシュ）のようにネットワークを構築する。各アクセスポイントが発する電波の強さは同じで，それぞれから最も近い端末や機器に電波を届けるよう最適な経路を制御する。1台だけのアクセスポイントでは端末が電波を受信できない場所でも，中継機を複数台設置することでユーザはどこに移動しても途切れることなく電波を受信できる。また複数台の端末や機器を同時に接続する場合でも，各アクセスポイントにかかる負荷を分散することで，高速で安定したインターネット接続を実現している。

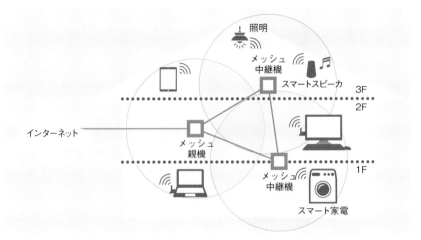

■図4.17——メッシュWi-Fiによる接続の例

[4] 公衆無線LAN

ホテルや駅，空港，カフェなどの施設や，列車内や飛行機内などの公共交通機関，大都市や観光地などの屋外で，無線LANを使用してインターネットに接続するサービスを**公衆無線LAN**とよぶ（図4.18）。インターネットに接続できる範囲（アクセスポイントがカバーできる範囲）はWi-Fiスポットや公衆スポットなどともよばれ，数十メートルから百数十メートル程度といわれている。そのため，利用可能エリアが「点」で分布することになり，広い範囲で接続できるわけではない。

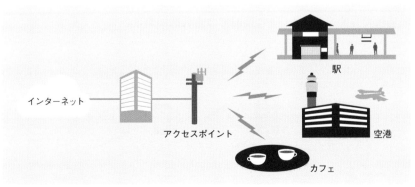

■図4.18——公衆無線LAN

4-3

モバイルデータ通信サービス

スマートフォンなどの携帯端末の通信手段として使われているものがモバイルデータ通信である。モバイルデータ通信には，採用される技術や用途の違いによっていくつかの方式があるが，ここでは多くの利用者に活用されている携帯電話の通信方式について解説する。

4-3-1 モバイル回線によるインターネットの接続

携帯電話の通話やSMSによるメッセージの送受信は，NTTドコモ社やKDDI社，ソフトバンク社などの携帯電話サービスを提供するキャリア（移動体通信事業者）が構築した，第4世代移動通信システム（4G）や第5世代移動通信システム（5G）などのネットワーク（携帯電話網）である**モバイル回線**で電波により行う。このモバイル回線を利用して，基地局とスマートフォンなどの端末とが電波により無線で通信するものを**モバイルデータ通信**とよぶ。データ通信専用であり，音声通話やSMSは利用できない。FTTHやケーブルテレビのように通信機器を設置する必要がなく，携帯電話事業者[*18]との契約と携帯端末があればインターネットに接続してデータのやりとりができる。

またこのモバイルデータ通信を利用して，PCなどの機器からインターネットに接続できる。この場合，携帯電話網とPCの間で通信を中継する機器が必要となる。中継方法は大きく2種類あり，図4.19に示すように，スマートフォンなどの携帯端末を中継機として機能させる**テザリング**による方法と，持ち運び可能な小型のルータ機器で一般に**モバイルWi-Fi**とよばれる機器を使用する方法がある。いずれも，PCなどの端末は無線LANで接続するのが一般的であるが，BluetoothやUSBケーブルなどを利用した接続もできる。なお，モバイルデータ通信機能（モデム）が内蔵されたPCでは，こうした中継機器を必要とせずに，後述するSIMを利用したモバイルデータ通信ができる。中継機器の持ち運びの手間をなくし，無線LANがない場所でもインターネットに接続できる利点がある。

*18 キャリアや後述するMVNOを含む。

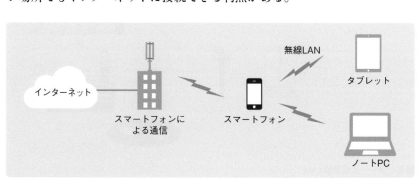

■図4.19——テザリングのしくみ

4-3-2　SIM

　モバイルデータ通信を利用するには，携帯電話事業者と契約を結び，それに基づいて貸与される **SIM**（Subscriber Identity Module）を使って，スマートフォンなどの携帯端末により通信を行う。SIMは電気通信事業者による利用状況の把握などのために使われている。ユーザ（契約者）を識別するためのID番号が記録されており，ID番号を電話番号や契約情報と紐付けすることで通話やインターネット接続サービスなどが利用可能となる。[19]

　図4.20に示すように，SIMには小型の接触型ICカードをスマートフォンなどの携帯端末本体に装着する[a]のSIMカードと，携帯端末内に内蔵されている[b]のeSIMがある。

[1] SIMカード

　SIMカードは，国際規格によってサイズが規定されており，名刺大のフルサイズSIM以下4種類が存在する。日本国内ではおもに，mini SIM（25×15mm），micro SIM（15×12mm），nano SIM（12.3×8.8mm）などの小型サイズが採用されており，使用する携帯端末に対応したサイズのSIMカードを利用する。

[2] eSIM

　eSIMは，携帯端末内にあらかじめ組み込まれているチップ型のSIMにインターネット経由で契約情報を書き込むものである。SIMカードの購入や，注文して届くまでの時間を待つ必要がないため，携帯端末を手にしてすぐに契約して利用できる。とくに海外での利用において，新たなSIMカードを用意する手間が不要で，携帯端末内で契約や設定が完結できるため利点が大きい。

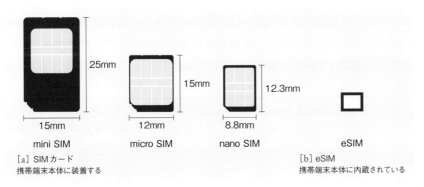

mini SIM　　micro SIM　　nano SIM　　eSIM

[a] SIMカード
携帯端末本体に装着する

[b] eSIM
携帯端末本体に内蔵されている

■図4.20——SIMの種類

[3] MVNO

　NTTドコモ社やKDDI社，ソフトバンク社などの携帯電話サービスを提供するキャリアでは一般に，利用の契約（SIMの貸与）と端末の購入が同時にできるサービスを提供している。[20] こうしたキャリアの通信サービスを使

＊19　携帯電話事業者によって呼称が異なり，NTTドコモ社では「UIMカード」，KDDI社では「au ICカード」，ソフトバンク社では「USIMカード」とよばれている。

＊20　携帯電話サービスを提供する電気通信事業者（携帯電話事業者）は，契約者を囲い込む目的で，自社が提供するSIMカードが装着されたときのみ端末が動作するようにSIMロックとよばれる制限を設けていたが，2015年5月以降，SIMロックの解除が義務化された。そのため，利用者の申し出などによりSIMロックを解除することが可能となった。

わずに，端末のみ，SIMのみを購入してモバイルデータ通信を利用することもできる。

仮想移動体通信事業者（MVNO：Mobile Virtual Network Operator）は，自社のネットワーク（携帯電話網）をもたずに移動通信サービスを提供する事業者である。携帯電話網をもつキャリアのサービスを借り受けてモバイルデータ通信サービスを提供する。サービス利用者向けにSIMを販売するMVNOは「格安SIM」とも称され知られている。キャリアよりも安価にサービスが提供されることが多い。

4-3-3　モバイルデータ通信のしくみ

スマートフォンなどの携帯端末では電波による通信を行うが，手元の端末が直接，相手と電波で通話や通信をしているわけではない。図4.21に示すように，電波は現在地付近にある**基地局**を経由して**コアネットワーク**[*21]（通話やデータ伝送，利用者管理を行うネットワーク）へと接続され，さらに相手付近の基地局を経由して通話先の携帯端末と接続される。基地局はアンテナと通信装置から構成されており，ビルの屋上などに設置されている。

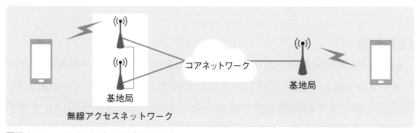

■図4.21——モバイルデータ通信のしくみ

携帯端末では，移動しながらコアネットワークの指示で接続する基地局を切り替えるため，移動中でも途切れのない通信ができる。このしくみはモバイルデータ通信だけでなく，位置情報の取得にも活用される。基地局の位置は固定されているため，接続先の基地局や近隣も含めた基地局との電波状況が把握できれば，端末のおおよその位置を推定することができる（ただし精度は高くない）。屋内などのGPS[*22]の情報が取得できない場所で地図アプリにより位置を表示したり，犯罪捜査や行方不明者を捜索したりするときに活用される。後述する5Gでは，より高度な位置検出方式が規格化されており，GPS程度の精度を得られると期待されている。

モバイル回線は，キャリアが基地局などの設備を設置したサービスエリアで利用する必要があるが，事業者間の提携によって，他社のサービスエリアでも利用することができる。このように，ユーザが契約している事業者以外のエリアで携帯電話のサービスを利用することを**ローミング**とよぶ。図4.22に示すように，ローミングサービスを利用すると，海外でも同じ電話番号で着信を

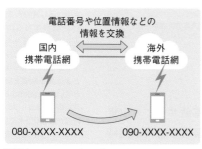

■図4.22——ローミングのしくみ

*21 モバイルデータ通信サービスを実現するネットワークは，コアネットワークと無線アクセスネットワークの2つのネットワークによって構成されている。コアネットワークは，加入者のデータベースや交換機，一般加入電話網へのゲートウェイ（ネットワーク上で，物理媒体やプロトコルの違いを相互に変換して中継する機器）が配置された基幹部分で，無線アクセスネットワークは基地局などが携帯端末と無線通信を行うためのネットワークとなる。

*22 GPSの詳細については，8-3-1を参照のこと。

受けられ，データ通信サービスも利用できる。

4-3-4　通信方式

　モバイルデータ通信は世代が進むごとに高速化している。携帯電話の世代はマーケティング的な観点から事業者によって一部異なる場合があるが，ここでは技術的な区分けで解説する。

[1] 4G

　携帯電話の通信方式は，第1世代(1G)でアナログ方式，第2世代(2G)でディジタル方式の無線技術が用いられ，第3世代(3G)では高速なデータ通信へと進化した。第3世代以降，通信事業者によって第3.5世代や第3.9世代のLTE(Long Term Evolution)とされるサービスも開始されたが，これらは標準化された正式な用語ではなく，第3世代移動通信システムを拡張した技術を区別するための技術的な呼び名である。[23]

　4G(第4世代移動通信システム)は，国際電気通信連合(ITU)が定めるIMT-Advanced規格に準拠する無線通信システムを指す。現在，ほとんどの携帯端末が4Gに対応している。4Gに適合する技術としては，3GPPによって規格化された「LTE-Advanced」とIEEEによって規格化された「WiMAX2」がある。同一周波数で同時に通信するMIMO(Multiple Input Multiple Output)や，複数の周波数帯を束ねて高速化するキャリアアグリゲーション(carrier aggregation)などの技術を使うことで，静止／低速移動時最大1Gbps，高速移動時100Mbpsの通信が可能になっている。

[2] 5G

　5G(第5世代移動通信システム)は，超高速，超低遅延，多数同時接続を特徴とし，従来の人と人，人と機械に加えて，機械と機械の通信を担うことを目的に，日本では2020年にサービスを開始した。既存の4G基盤を用いて実現するNSA(Non-Standalone)と，5G用の無線アクセスおよびコアネットワークで実現するSA(Stand Alone)の2つの方式がある。4Gでは，携帯端末での音声通話とデータ通信がおもなサービスの提供範囲であったが，5Gではこれらに加えて，自動車，産業機器，ホームセキュリティ，スマートメータなどのIoT機器と，新たな市場での活用が期待されており，キャリアなどによって5Gへの対応が進められている。[24]　5Gの特徴を以下にまとめる。

　　・最大で10Gbps以上，複数の利用者がいる環境でも1Gbps以上の
　　　高速通信。
　　・ロボットや機械操作，仮想現実や自動運転などでの利用も想定し
　　　た低遅延。
　　・IoT機器の急増を支えられる同時接続性の高さ。

*23 4Gのサービスが本格的に展開される前，4Gを名乗るサービスがすでに登場していた。これらのサービスで使われていたものはLTEや「WiMAX」といった通信規格である。これらは3.9Gに分類される技術であるが，ITUのある部会による「4Gを名乗ってもかまわない」という声明を受け，サービス名称に4Gを用いていた。

*24 キャリアによって構築される5G以外に，自治体や企業などが総務省に申請することで，建物内や敷地内などで個別に5Gシステムを構築できるローカル5Gがある。

5Gに期待されることは，映像などの大容量のデータを高い通信速度で扱えるインターネットの利便性の向上であり，また，低遅延の特徴を生かしたリアルタイムでの対応が必要な場合の利用（たとえばメタバース体験や自動運転，遠隔でのロボット操作による緻密な作業）である。さらに，スマートフォンの登場以降，モバイル環境において増大し続ける通信トラフィックに加えて，今後あらゆるモノがインターネットに接続されるIoTの拡大が想定される点において，多数の機器が安定して同時に接続できることである。

4-3-5　高速通信を生かしたしくみやサービス

　モバイルデータ通信でのデータのやりとりはパケット通信方式によるデータ通信で行われる。回線交換[*25]の場合，通話中は1ユーザが1つの回線を専有するが，パケット通信方式では，やりとりするデータをパケットに分割することで，回線を専有することなく複数のユーザや複数のデータで通信帯域を共有する。

*25 両端の接続を，通信終了まで維持する通信方式。4-1-3を参照のこと。

[1] VoLTE

　VoLTEはパケット交換方式で構築されたLTE網用の音声通話方式である。LTE導入当初は，音声通話は2G網または3G網に接続し回線交換で伝送していたが，複数方式が混在し，ローミングなどに問題を生じた。VoLTEにより，音声，データ双方を統一してパケット網で扱える。また，旧方式が終了してもLTEへ影響が出ない。VoLTE運用時，音声信号は帯域保証(QoS)されており，瞬断や歪みを抑えている。3G以前よりも高音質な符号化方式も使える。なお，5Gでは，相当する技術はVoNRとよばれている。

[2] FWA

　移動体通信事業者が無線を使って，移動しない固定された場所にいる利用者との間でデータ通信を行うサービスが，**FWA**(Fixed Wireless Access：固定無線アクセス)である。世界の通信事業者（約800）の約30％がサービスを提供している。利用者は，CPE(Customer Premises Equipment：顧客宅内機器)とよばれる無線通信機を設置する。CPEと移動体通信事業者の間は，通常のモバイルデータ通信用の電波で結ばれる。一方，利用者の宅内機器は，有線や無線のLANでCPEに接続される。宅内にあるPCなどの機器にとっては，従来の光ファイバサービスとまったく変わらずに利用できる。FWAを提供する移動体通信事業者が5Gでサービスを行っている場合，ミリ波帯域が使える場合もあり，通信速度は光ファイバサービスにひけをとらない。

　CPEの設置には自由度が大きく，窓際に置くだけでよいものもある。壁に穴を開けることもないため，建物の所有者の了解を得る必要もない。アンテナを外付けする場合でも，利用者が自分で工事できるものもある。導入の容易さもFWAが選択される理由の1つとなっている。

インターネットで
提供されるサービス

インターネットはインフラである。インターネットを魅力あるものにしたのは，WWW（World Wide Web）や電子メールなどのサービスの存在が大きい。ここでは，代表的なWebサービスのしくみについて解説する。また，ソーシャルネットワーキングサービス（SNS）を中心に，1対多，多対多のディジタルコミュニケーションについても解説する。

5-1

WWW（World Wide Web）

Webページに代表されるインターネットのサービスは，**WWW**（World Wide Web）と よばれるシステム上で提供される。ここでは，WWWに代表されるインターネット の基本事項について解説する。

5-1-1　Webブラウザ

　PCやスマートフォンで，インターネット上のWebページを閲覧するときに 利用する「Google Chrome」や「Microsoft Edge」，「Mozilla Firefox」， 「Safari」などのアプリケーションソフトウェアのことを**Webブラウザ**とよぶ。

　Webブラウザには，気に入ったWebページを登録し，つぎに閲覧すると きにそのページを簡単な操作で表示することができる**お気に入り**（**ブック マーク**）とよばれる機能がある。また履歴機能を利用して，以前に表示した ページを検索することもできる。

　多くのWebブラウザではインターネットから読み込んだデータをコン ピュータの記憶装置に保存しておき，同じページを再度表示するときは ネットワークを経由せず，記憶装置に保存したデータを表示してページの 表示速度を上げる**キャッシュ機能**とよばれるしくみを備えている。

　また，Webブラウザではネットワークに出入りするアクセスを一元管 理し，内部から特定の種類の接続のみを許可したり，外部からの不正なア クセスを遮断したりする**プロキシサーバ**[*1]を利用するように設定すること もできる。プロキシサーバはキャッシュ機能も備えており，ネットワーク 内の全ユーザが以前に表示したWebページのデータを一時的に保存する ため，Webページの表示速度の向上にも貢献する。

*1　プロキシ（代 理）サーバとは，企業 などの内部ネット ワークとインター ネットの境に位置し， ユーザのコンピュー タに代わってイン ターネットに接続す るサーバである。

5-1-2　Webサーバ

　ユーザのリクエストに対して何らかのサービスを提供する機能を**サーバ** とよび，実装された機能の違いによってさまざまな役割がある。図5.1に示 すように，Webページを表示するためのWebサーバや，社内でデータを共 有するためのファイルサーバなどのほか，chapter 4で解説したドメイン名 とIPアドレスを管理する**DNSサーバ**[*2]などがある。ユーザのコンピュータ とWebサーバの構成においては，図5.2に示すように，ユーザの処理を依 頼する側を**クライアント**，その処理を実行する側をサーバとよび，こうし たクライアントとサーバで構成されるしくみを**クライアントサーバシス テム**とよぶ。主要な機能はサーバに実装され，クライアントはユーザが操 作した処理やネットワークを通じて得られたデータの表示を担当する。 クライアントはPCやスマートフォンなどのコンピュータや，電子書籍や

*2　DNSサーバに ついては，4-1-5を参 照のこと。

テレビなどの情報端末にあたる。サーバはLANやインターネットに配置されたサーバ機器である。操作するデータはサーバ上（またはネットワーク上に構成されたデータベース）に保存される。そのためユーザは，どのクライアントからでも同じデータを操作でき，ユーザどうしでデータを共有することができる。[*3]

*3　複数のユーザが共有して利用するアプリケーションのほとんどは，クライアントサーバシステムとして実装されている。たとえば座席の予約システムや商品在庫管理などのWebアプリケーションは，サーバ上に構築されたデータベースにより，複数のユーザが同時に空席確認や予約，商品の在庫確認や入出庫操作などができるように構成されている。

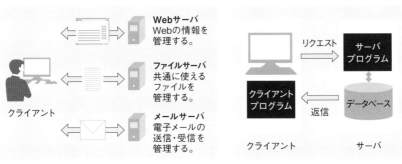

■図5.1——サーバの役割　　　　■図5.2——クライアントサーバシステム

　インターネットでWebサイトを閲覧する場合，ユーザのリクエストに応じてインターネット上のWebサーバからHTMLファイルや画像ファイル，音声ファイルなどのコンテンツのデータを取得し，HTMLに記述されたスタイル情報などを解析してWebブラウザに表示する。また後述するWebメールやクラウドサービスなどは，Webブラウザを利用してインターネット上で動作するアプリケーションソフトウェアであり，**Webアプリケーション**ともよばれる。[*4]これは，Webブラウザでのユーザの操作に応じて，インターネットを経由してWebサーバ上に配置されたプログラムが実行されており，その結果がWebブラウザに表示されている。

*4　端末にアプリケーションソフトウェアをインストールして利用するものはネイティブアプリとよばれる。

5-1-3　アカウント

　インターネット上で提供されている多くのサービスでは，ユーザの特定をおもな目的として**アカウント**のしくみが使われている。サービスの利用にあたっては，ユーザはまずアカウントを作成し，そのアカウントを使ってログインする。多くのサービスでは事前にユーザIDとパスワードを登録し，その組み合わせが正しければ正当なアカウントとして認証される。ユーザIDにはメールアドレスを使う場合が多い。

　また，別の企業が提供するサービスをはじめて利用する場合，新たにアカウントの登録をしなくても，ユーザがほかのサービスで取得したアカウントを使ってサービスを受けられることが多い。これは**ソーシャルログイン**または**他社ID連携**などとよばれる。たとえば「Google」や「Facebook」で取得したアカウントを使って，他社のサービスを利用するといった方法である。ユーザにとっては管理すべきアカウントの数を減らすことができ，アカウント登録の手間が解消できる利点がある。またサービスを提供する側においても，アカウント登録の手間をユーザに強いる必要がなくなることから，ユーザ数

＊5　サービスによっては，複数のアカウントでログインすることができるマルチログインに対応する。用途に応じてアカウントを使い分けたい場合，マルチログインに対応していればアカウント切り替えの手間を省くことができる。

＊6　シングルサインオンのサービスによって，デバイスの認証や生体認証，SMSによる認証など，さまざまな方法から認証方法を選ぶことができる。認証については，9-1-3を参照のこと。

＊7　ドメイン名，IPアドレスについては，4-1-5を参照のこと。

＊8　情報資源（リソース）に到達するための手段を表すもので，http，https，ftp，mailto，fileなどが広く使われている。

の増加を期待できるほか，アカウント管理の負担がないといった利点がある。[＊5]

パスワード管理アプリを利用して，各サービスやサイトのIDとパスワードをアプリに記憶させるものを，**シングルサインオン**（SSO：Single Sign-On）とよぶ。ユーザはマスタパスワードを覚えるだけで，すべてのWebサービスやWebサイトなどにログインできる。[＊6]

5-1-4　URL

Webブラウザで Web ページを閲覧する場合，Web サイトの指定はドメイン名だけでは不十分である。[＊7]「`www.cgarts.or.jp`」の場合，「`https://www.cgarts.or.jp/`」という記述が必要になる。これを **URL**（Uniform Resource Locator）とよぶ。

URLとは，文書や画像など，インターネット上に存在する情報資源（リソース）の所在地を指し示す記述方式である。図5.3に示すように，URLは「スキーム名」，「ホスト名（サーバ名）」を含む「ドメイン名」，「パス」で構成され，情報資源（リソース）にアクセスするための手段をスキームで示している。[＊8] http というスキームでアクセスする場合は「`http://`」（暗号化する場合は「`https://`」）が使われる。

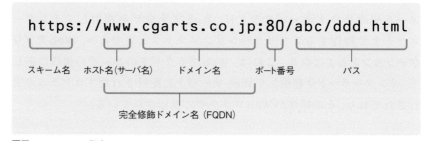

■図5.3——URLの指定

サーバ名は通常「cgarts.or.jp」のようなドメイン名の前に，機器を識別するための任意のホスト名を付けた名称を利用する。たとえば，「www.cgarts.or.jp」や「mail.cgarts.or.jp」などである。このようなホスト名（サーバ名）＋ドメイン名のことを完全修飾ドメイン名（FQDN：Fully Qualified Domain Name）とよぶ。FQDNは，DNSによってIPアドレスに変換される。ドメイン名に続けてポート番号を指定する場合があり，多くの場合，ポート番号の指定は省略してかまわないが，サーバ側でポート番号を変更している場合はここで指定する必要がある。パスはサーバ内におけるコンテンツの場所を指し示すためのもので，一般にはフォルダ名とファイル名で構成される。

5-1-5　プラグイン

アプリケーションソフトウェアが元から備えている機能だけでは実現できない高度な機能や処理を追加するためのプログラムのことを，プラグイ

ンとよぶ。プラグインソフトともよばれる。プラグイン単体では動作せず，本体のアプリケーションソフトウェアが必要となる。Webブラウザの代表的なプラグインには，PDFファイル[*9]が閲覧できる「Adobe Acrobat Reader」や動画視聴のための「Windows Media Player」などがあり，プラグインのファイルを特定のフォルダに入れるなどの簡単なインストール手順でWebブラウザの機能を拡張できる。

*9　PDFについては，2-2-6を参照のこと。

5-1-6　Cookie

　Webサイトの提供者が，Webブラウザを通じてWebサイトを訪れたユーザのコンピュータに情報を書き込むしくみを**Cookie（クッキー）**とよぶ。Cookieには，ユーザに関する情報や，Webサイトへの訪問回数，最後に訪問した日時などの**アクセス履歴**情報を記録しておくことができる。これを利用すると，図5.4に示すように，たとえばはじめてWebサイトを訪れたユーザには名前の入力を求め，そのユーザが次回訪れたときには「A様ようこそ！」などのメッセージを表示するといったことが可能になる。Cookieは多くのWebサイトでユーザを認識するために使用され，表示するページをユーザごとにカスタマイズすることもできる。

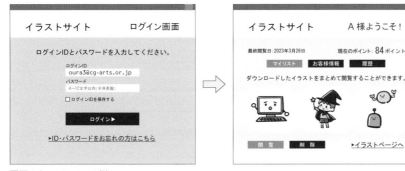

■図5.4——Cookieの例

　一方で，名前やアクセス履歴といったプライベートな情報をWebサイト側に追跡され，プライバシーが侵害されるおそれがあることから，ユーザはWebブラウザを設定してCookieの受け取りを拒否することができる（図5.5）。また，Cookieの情報はユーザの端末（クライアント側）に保存されることから，たとえば共有PCを使用する場合，Cookieに格納した情報が悪意ある第三者により悪用され，ユーザIDやクレジットカード番号などの情報が漏えいしたり偽装されたりする危険性がある。そのため，共有PCを使用したあとはCookieを削除する必要がある。

■図5.5——WebブラウザでのCookie処理の設定

5-2
電子メール

インターネット上のサービスのうち, 人と人とのコミュニケーションツールとして電子メールが重要な役割を担っている。ここでは, 電子メールの種類やしくみについて解説する。

5-2-1 電子メールの種類

PCやスマートフォンなどの端末を使って, インターネット上で特定の相手と手紙のように文字情報を交換するしくみを**電子メール**（または**Eメール**）とよぶ。端末でメールの送受信を行う場合には, 電子メールソフトやWebメールを利用する。

[1] 電子メールソフト

電子メールソフトを利用する場合, アプリケーションソフトウェアを端末にインストールして, メールを送受信するためのサーバの設定を行う必要がある。メールサーバに届いた自分宛てのメールを端末にダウンロードして閲覧する。電子メールソフトの例を図5.6に示す。

■図5.6——電子メールソフトの例
「Microsoft Outlook」（提供：日本マイクロソフト株式会社）

電子メールのしくみを解説する。電子メールのやりとりにはメールサーバとよばれるメールの送受信を行うホストコンピュータが必要である。メールサーバには, 送信用の**SMTP**（Simple Mail Transfer Protocol）サーバと, 受信用の**POP**（Post Office Protocol）サーバがあり, 多くのメールサーバはこの2つを兼ねている。SMTPはメールを送信するときに, POPはメールを受信するときに使用するプロトコルである。

図5.7に示すようにA氏がB氏にメールを送信する場合, A氏が自分のメールサーバにメールを送信すると（①）, SMTPサーバによりメールはインターネット経由でB氏のSMTPサーバに送られる（②）。SMTPサーバには各ユーザのメールボックスがあり, メールはここに一時的に格納される（③）。

*10 契約しているISPが管理している場合と, 所属している企業や団体が管理している場合がある。

一方，B氏がメールを受信するためには，B氏が自分のメールボックスにメールが届いているかどうかを定期的に確認する必要があり，POPサーバに対して問い合わせを行う（④）。問い合わせを受けたPOPサーバは，メールボックスをチェックし，メールが届いていればそれを取り出してB氏のコンピュータに送信する（⑤）。

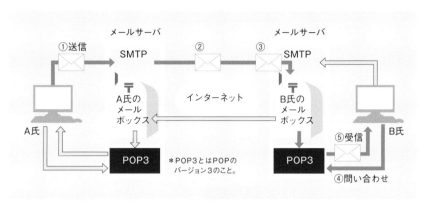

■図5.7——電子メールのしくみ

　また，POPに代わるメールプロトコルにIMAP（Internet Message Access Protocol）がある。図5.8に示すように，サーバ上のメールをクライアントにダウンロードするPOPと異なり，IMAPではサーバ上にメールを保存したままクライアント（ユーザの端末）から管理することができるため，PCやスマートフォン，タブレットといった複数の端末で同じメールアカウントのメールを閲覧できる。

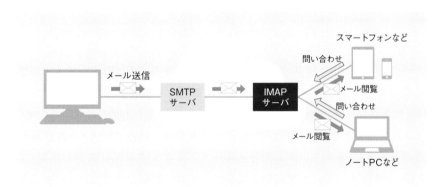

■図5.8——IMAPのしくみ

[2] Webメール

　Webブラウザを利用して読み書きするWebメールは，Webブラウザで電子メールソフトの画面レイアウトを構成したものである。ユーザIDとパスワードを入力してWebメールにログインすると，電子メールソフトと同等の画面が表示され，メールの送受信ができる。図5.9にWebメールの例を示す。
　Webメールの場合，単にメールの送受信だけであれば，電子メールソフトで行うようなサーバの設定は不要である。インターネットの接続環境と端末，Webブラウザがあれば，自宅でも外出先でも場所を問わず電子メールを

利用できる。図5.10に示すように，実際には電子メールソフトと同様に
SMTPやPOP，IMAPでメールサーバとやりとりをして，その結果となる
メッセージを端末に表示している。

■図5.9——Webメール「Gmail」

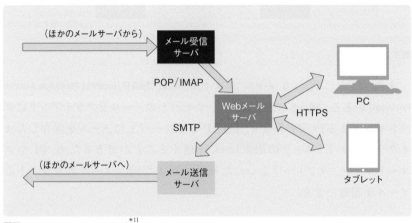

■図5.10——Webメールのしくみ[*11]

*11 HTTPSについ
ては，9-1-1（脚注）を
参照のこと。

　Webメールには，無料で利用できる**フリーメール**とよばれる電子メールを
送受信するサービスがあり，多くは本人確認を必要とせずにメールアドレ
ス（アカウント）を取得できる。一方で，匿名性が高く信頼性に欠けるため，
メールアドレスを認証に用いるWebサイトでは一部のフリーメールが排除
されたり，フィルタリングの対象となってアクセスできない場合もある。ま
たWebメールのサービスの終了によりメールが削除されるといったおそれ
がある。

5-2-**2**　電子メールの機能

　電子メールソフトは，単にメールの読み書きを実行する以外にもさまざま
な機能が搭載されている。以下に，電子メールの機能について解説する。

[1] TO, CC, BCC

　電子メールは，複数のメールアドレスを指定して同じメールを一斉に送
信することができる。図5.11に示すメールの**TO**欄または**CC**（Carbon Copy）欄

に送信したいユーザ全員のメールアドレスを指定する。おもにTO（宛て先）にはメールの主となるユーザ（送信するメールの内容について返信を希望するユーザ）のメールアドレスを指定する。CCは指定したユーザ全員にメールのコピーが転送される。CCに指定したユーザのメールアドレスは，TOとCCに指定したユーザ全員のメールに表示されるため，誰宛てにCCが送信されたのかがわかる。CCは，TOで指定したユーザのほかに情報を共有する必要があるユーザがいる場合に使用されることが多い。

一方，**BCC**（Blind Carbon Copy）欄は，CCと同じように指定したユーザ全員にメールのコピーが転送されるが，BCCに指定したメールアドレスは受信者のメールには表示されず，誰宛てにBCCが送信されたのかがわからない。したがって，誰にメールを送信したのかを受信者に知られたくない場合は，BCC欄にメールアドレスを指定する。たとえばX社がA氏にメールを送信する場合，表5.1のようにA氏，B氏，C氏，D氏のメールアドレスを指定すると，送信先ユーザのメールアドレスが表示される範囲は表5.2のようになる。また，企業が抱える顧客全員に宛ててメールニュースを送信する場合，企業のメールアドレスをTOに，顧客のメールアドレスをBCCに指定することで，BCCで指定された顧客のメールにはX社のメールアドレスのみが表示され，ほかの顧客のメールアドレスは表示されない。そのため顧客の個人情報を漏えいすることなく，一度でメールを送信することができる。

Reply-To欄は，送ったメールについての返信先を，送信で使ったメールアドレスとは異なるメールアドレスにしてほしい場合に指定するものである。

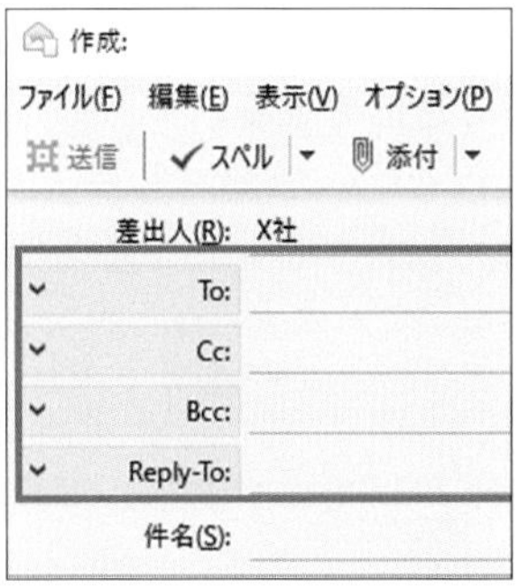

■図5.11――電子メールの宛て先

■表5.1――X社が指定した送信先

送信方法の指定	送信先
TO:	A氏
CC:	B氏
BCC:	C氏 D氏

■表5.2――送信先ユーザのメールアドレスが表示される範囲

送信先	表示されるアドレス
A氏	A氏，B氏
B氏	A氏，B氏
C氏	A氏，B氏
D氏	A氏，B氏

[2] メーリングリスト

電子メールを使用して，特定のテーマについての情報を複数のユーザ間で交換し合うしくみを**メーリングリスト**とよぶ。1つのメールアドレスに複数のメールアドレスを登録し，一度の送信で登録したアドレス宛てにメールを配信する。

[3] HTMLメール

メール本文をWebページのレイアウトなどに使用するHTMLで記述するメールを**HTMLメール**とよぶ。文字への色付けや，フォントサイズの変

更，画像の埋め込みなどにより，メールの送信内容をデザインすることができる。また，Webページと同じハイパーリンクをメールに埋め込むことができる。

[4] 迷惑メール対策

電子メールアドレスに対して無差別的に大量に送り付けられる電子メールを**迷惑メール**（**スパムメール**）とよぶ。この迷惑メールを防ぐためにフィルタ機能があり，メールソフト側で迷惑メールをフィルタにかけ，破棄するような対策がとられている。フィルタには，複数の迷惑メールから迷惑メールの対象となる語句を学習する学習型迷惑メールフィルタや，ヘッダを解析して，ソフトウェアにより大量送信されたであろうメールを判別する迷惑メールフィルタなどがある。[12]

*12 セキュリティや情報リテラシについては，chapter 9を参照のこと。

*13 ASCII文字への変換にはBase64やuuencodeとよばれる方式が用いられる。

5-2-3　添付ファイルのしくみ

電子メールのしくみ上，やりとりできる情報は文字（テキスト）情報だけであるが，**添付ファイル**というしくみを利用することで，ワープロ文書や画像ファイルなどの送受信が可能になる。図5.12に示すように，画像ファイルなどの**バイナリデータ**を，半角英数字と記号だけで構成されるASCII文字に変換（エンコード）[13]し，メール本文に付けて送信する。受信した側では，ASCII文字に変換されたデータを復元（デコード）する。このやり方を決めた規格を，**MIME**（マイム）とよぶ。MIMEの最大の特徴はマルチパートという拡張規格にある。これにより複数のファイルを1通のメールに添付しても，それぞれを区切り文字で分割して送信できる。

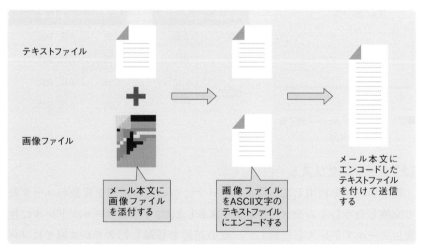

テキストファイル

画像ファイル

メール本文に画像ファイルを添付する

画像ファイルをASCII文字のテキストファイルにエンコードする

メール本文にエンコードしたテキストファイルを付けて送信する

■図5.12——添付ファイルのしくみ

5-3
コミュニケーションツールや
サービス

インターネットでは，さまざまなサービスが提供されている。ネットワークを経由してサービスが提供されるクラウドとよばれる考え方が広まったことにより，新たなサービスが続々と現れている。

5-3-1　さまざまなツールやサービス

インターネットでは，ユーザどうしのコミュニケーションや作業を円滑に進めるためのさまざまなツールやサービスが提供されている。ここでは代表的なものについて解説し，とくにビジネスにおいて利用されるものについてはchapter 7で解説する。

[1] SNS

任意の関係によって結びつけられた個人や組織の連鎖的なつながりをインターネット上に実現し，新しいコミュニケーションやメディアを生み出す人脈をつくり出すサービスをソーシャルネットワーキングサービス（SNS：Social Networking Service）とよぶ。[*14] ユーザは自分のアカウントを作成し，プロフィールや写真を登録して，つながっているユーザに対して情報を共有したり，コメントを投稿したりする。

SNSには，1対1や特定のユーザどうしでリアルタイムにメッセージのやりとりを行うチャット機能などを備えたメッセンジャアプリや，1人が不特定多数のユーザに向けて，投稿した内容を時系列に並べて表示するもの，文章・写真・動画などのコンテンツが投稿できるもの，またこれらの機能を統合したものなど，目的や用途に応じてさまざまなSNSが提供されている。

多くのSNSでは投稿された内容に対して，たとえば「いいね！」や「♡」などのアイコンをクリックして，気軽に関心や好意を示すことができる機能がある（図5.13）。また特定のアカウントに対して，閲覧ユーザが更新情報を確認できる機能がある。この機能を利用し，そのアカウントの活動を追っている閲覧ユーザのことをフォロワとよぶ。「いいね！」の数やフォロワの人数をアカウントへの支持や人気の基準とみなす企業も多く，SNSはビジネスにおけるブランディングや，人脈形成，求職活動など，人と組織とを結びつけるための場としても活用されている。

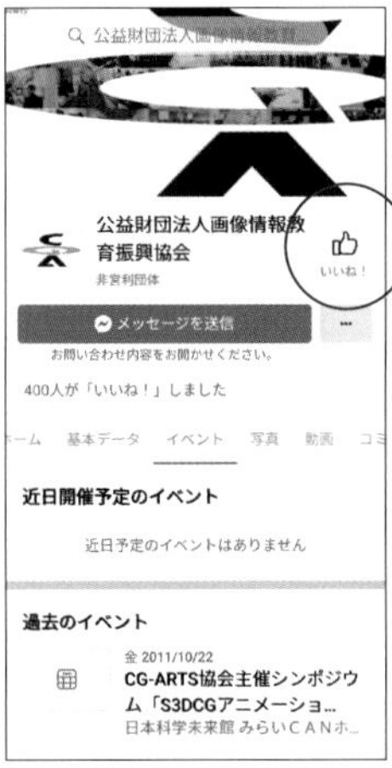

■図5.13——
「いいね！」ボタン

*14 以下は，国内で利用される代表的なSNSである。

「LINE」
「スタンプ」とよばれるイラストを使ったメッセージのやりとりができる。

「Twitter」
「つぶやき」とよばれるメッセージの投稿により，不特定多数のユーザへの情報発信や意見交換ができる。政治家や芸能人などの著名人の利用が多く，メッセージの拡散力が高い。

「Facebook」
世界最大のSNS。実名での登録が要求されるため，実社会の個人や組織のつながりをインターネット上で再現しやすい。ビジネスの場でもよく利用される。

「Instagram」
投稿者や閲覧者が掲載された画像にメッセージを投稿できる。ライブ配信機能をもつ。

*15 以下に, いくつかのサービスを取り上げて解説する。

「BeReal」
アプリの通知に合わせて2分以内に動画を投稿し, アップした動画は1日で消去される。

「Discord」
OSに依存せずWebブラウザで利用できる。音声や動画, テキストの共有ができ, オンラインゲームやビデオ会議など用途は多岐にわたる。

「YouTube」
世界規模で利用されている動画配信サービス。13歳以上であれば誰でも自分のアカウントが作成できる。チャンネルを作成して動画投稿やライブ配信ができる。

「ニコニコ動画」
再生中の映像上にユーザがコメントを投稿できる参加型の動画配信サービス。投稿者と視聴者をつなぐオフラインイベントが定期的に開催されている。

*16 個人ユーザにより制作・投稿されるコンテンツ全般を, ユーザ生成コンテンツ（UGC：User Generated Content）とよぶ。UGCに関するマーケティングについては, 6-6-5を参照のこと。

　図5.14に, 独自の機能をもつコミュニケーションサービスと, その特徴をいくつか紹介する。ここではサービスを3つにカテゴリ分けしたが, [*15]「Facebook」の「Messenger」による通話や,「Twitter」の「スペース」による音声のライブ配信など, SNSの枠組みではとらえきれないさまざまなサービスが登場している。

　文字を中心とした従来のSNSから, 写真やイラスト, 音声, 動画, ゲームなどのさまざまなメディアで, コンテンツがユーザによって投稿され, それ[*16]を介したユーザどうしのコミュニケーションがはかられている。

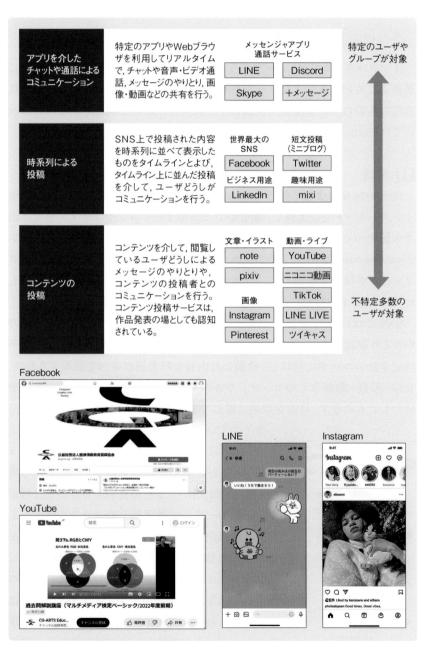

■図5.14——コミュニケーションサービスとその特徴
（「モバイル社会白書 2022年版」NTTドコモ モバイル社会研究所ホームページを参照）

[2] ブログ

　Web上の日記を意味する**ブログ**(blog)は，あらかじめ用意されたテンプレートに記事を入力することでユーザがインターネット上に情報を発信するサービスである。ブログには，閲覧したユーザが記事に対してコメントを書き込む機能や，記事どうしをつなげる**トラックバック**とよばれる機能などが用意されている。

　名前の由来のとおり日記を投稿するWebサービスや，仕事の業務や趣味などのテーマに対してユーザが知見を投稿し，関心のあるユーザどうしで情報を共有しあうナレッジコミュニティとしてのWebサービスがある（図5.15）。[*17]

■図5.15——ナレッジコミュニティの例「Qiita」
（提供：Qiita株式会社）

*17 情報技術のノウハウやTips（ヒント）を共有する「Qiita」，プログラムのソースコードを共有する「GitHub」などがある。プログラミングの初学者やエンジニアなどにより意見交換がなされている。

　ブログをおもな自己表現の場として利用するユーザを**ブロガー**とよぶ。ブログの閲覧者への影響力が高いことから，ブロガーを対象とした企業による新製品の説明会などが開催されるなど，発信力の高いメディアとしてのマーケティングが期待されている。SNSやブログなどのインターネット上のサービスにおいて，世間や社会に大きな影響を及ぼすユーザやブロガーを**インフルエンサー**とよぶ。

[3] 電子掲示板

　ユーザがあるテーマについて記事を書き，その記事に対して複数のユーザが返信（レスまたはレスポンス）することで，情報交換や議論を行うしくみを**電子掲示板**とよぶ。**BBS**(Bulletin Board System)ともよばれる。1つの話題に対して不特定多数のユーザからさまざまな意見を集めることができる。扱う話題はスレッドやトピックとよばれるカテゴリに分類されている。スレッドに関連する新たな話題を投稿すると，ほかのユーザの返信によりスレッドに新たな話題が投稿され，一連の記事が構成されていく。

　電子掲示板では，悪意のある書き込みや違法性の高い書き込みも少なからず存在する。これらの書き込みは法律により処罰対象となっており，電子掲示板への誹謗・中傷の書き込みはしてはならない。

101

5-3-2　オンラインストレージ

*18 ストレージ領域の容量や料金, 用途に応じてさまざまなサービスが提供されている。「Google ドライブ」,「Dropbox」,「Box」,「Microsoft OneDrive」,「iCloud Drive」などがある。

従来ハードウェアやソフトウェアが担ってきた機能を, インターネットを利用してサービスとして提供する形態をクラウドサービスとよぶ。ここでは, クラウドサービスによるコミュニケーションツールの代表例としてオンラインストレージを解説し, chapter 6 でクラウドサービスについて解説する。

ファイルを保存するためのストレージ領域を, インターネット上でユーザに提供するサービスをオンラインストレージとよぶ。クラウドストレージともよばれる。ユーザの端末にダウンロードしたアプリケーションソフトウェアや Web ブラウザを利用して, インターネット上のストレージ領域（サーバ）にファイルをアップロードして保存・管理する。このファイルは別のユーザとインターネット上で共有できる。[18] USB メモリや光学ディスクにファイルをコピーして受け渡す代わりにオンラインストレージが利用される。chapter 6 で解説する SaaS のサブスクリプションサービスで, 数 GB 程度のストレージ領域が無料で提供されている。[19] 図 5.16 にオンラインストレージサービスの例を示す。

■図5.16——オンラインストレージサービスの例「Google ドライブ」（画像提供：Google）

*19 マイクロソフト社の「Microsoft 365」やアドビ社の「Adobe Creative Cloud」などがある。SaaS については, 6-4-1 を参照のこと。

5-3-3　検索エンジンサイト

インターネット上の Web ページを検索するシステムを検索エンジン（または検索エンジンサイト）とよぶ。検索サイトではサーチエンジン型サービスにより, 用語や画像を入力して検索し, 直接目的の Web ページにアクセスする。サーチエンジン型サービスはロボットがインターネット上を自動的に巡回して Web ページのデータを収集しデータベースを作成する。データ収集が自動で行われることから情報量は非常に多いが, Web 上のすべてのページが検索対象になるため, 目的とは違う情報やすでに存在しない情報が検索結果に含まれることがある。[20]

インターネットにアクセスする際に, ユーザが最初に訪れる Web サイトをポータルサイトとよぶ。図 5.17 の「Yahoo! JAPAN」や, インターネットサービスプロバイダが加入者向けに提供する Web ページが代表的なポータルサイトにあたる。これらでは, リンク集やニュースなど, さまざまな情報が無料で提供されている。

*20 インターネットの初期はディレクトリ型のサービスが主流であった。人の検閲担当者が Web サイトを審査し, 有益であると認めた Web サイトのみをデータベースにカテゴリごとに登録する。人の手によって審査されるため, 比較的質の高い情報が登録されるが, 情報量は少なめである。ポータルサイトと組み合わせて利用された。

■図5.17——ポータルサイトの例「Yahoo! JAPAN（2023年1月18日時点のデザイン）」（提供：ヤフー株式会社）

chapter 6

インターネットビジネス

インターネットはビジネスには欠かせないものである。ユーザは時間や場所を問わずに企業のサービスを利用でき，企業は購買情報をもとにユーザの嗜好や行動を解析し，ユーザごとに，より最適なサービスを提供できる。またユーザから発信される情報は，インターネットビジネスに大きな影響を与えている。ここでは，販売業や金融業，コンテンツ産業，広告業のビジネスについて具体的に説明するとともに，そのしくみについても解説する。

6-1

オンラインショッピング

インターネットを利用したサービスはビジネスには欠かせないものである。ここでは，オンラインショッピングのしくみや種類について解説する。

6-1-1 オンラインショッピングの形態

インターネットを利用して契約や決済などを行う取引を**電子商取引**とよぶ。**eコマース**ともよばれる。かつては企業間取引に使われていたが，現在ではインターネットを利用した**オンラインショッピング**がその主流となっている。

PCやスマートフォンなどを利用して，インターネット上に存在する通販サイトで商品を注文する取引全般を**ネット通販**とよぶ。食品や衣料雑貨などの有形の"モノ"を購入したり，音楽や映像などの無形の"サービス"を購入したりできる。eコマースには，表6.1のような形態がある。

■表6.1——eコマースの形態

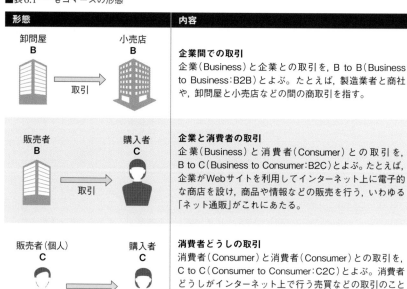

形態	内容
卸問屋 B → 小売店 B 取引	**企業間での取引** 企業（Business）と企業との取引を，B to B（Business to Business：B2B）とよぶ。たとえば，製造業者と商社や，卸問屋と小売店などの間の商取引を指す。
販売者 B → 購入者 C 取引	**企業と消費者の取引** 企業（Business）と消費者（Consumer）との取引を，B to C（Business to Consumer：B2C）とよぶ。たとえば，企業がWebサイトを利用してインターネット上に電子的な商店を設け，商品や情報などの販売を行う，いわゆる「ネット通販」がこれにあたる。
販売者(個人) C → 購入者 C 取引	**消費者どうしの取引** 消費者（Consumer）と消費者（Consumer）との取引を，C to C（Consumer to Consumer：C2C）とよぶ。消費者どうしがインターネット上で行う売買などの取引のことで，たとえば，ネットオークションやフリーマーケットがある。
X社 B → Y社 B → 購入者 C 取引 取引	**別の企業が介在する企業と消費者の取引** たとえばある企業X社が，別の企業Y社が提供するショッピングサイトを経由して消費者に商品を販売する場合，X社とY社との取引は「B to B」であり，X社と消費者との取引は「B to C」であるから，全体として，B to B to C（Business to Business to Consumer：B2B2C）の取引となる。企業と消費者の間（B to C）で，別の企業が仲介や卸し，流通などを担う取引を指す。

オンラインショッピングはおもに「B to C」,「C to C」に該当する。また個人が制作したコンテンツを企業に販売する「C to B」や,マーケティングの要素を取り入れて,企業がSNSなどを利用して消費者からの意見を参考に製品を開発する「B with C」もある。

さらに個人や組織に資金の提供や協力などを行うクラウドファンディング[*1]がある。近年ではこれを活用して,映画製作や製品・サービス開発などが行われている。クラウドファンディングは個人が企業を支援することもあれば,個人が個人,企業が個人を支援することもありうる。取引対象も,個人になる場合,企業になる場合のいずれもが考えられる。しかし,これらを考慮すると複雑になるため,ここでは消費者がどのようにインターネットを利用し,商品を購入しているのかという身近な例から解説する。

*1 クラウドファンディングについては,6-3-3を参照のこと。

6-1-2　オンラインショッピングの実例

実際の店舗で商品を購買する場合,顧客は実店舗に出向き,その場で商品を選び,代金を支払う。実店舗に行く必要がないだけで,オンラインショッピングも同様である。商品を販売するWebサイトにアクセスして商品を選び,購入に必要な個人情報を入力して,商品代金の決済方法を選択する。販売側では,注文を受けて在庫を確認する。問題がなければ顧客に確認通知メールを送信し,商品を発送する(図6.1)。

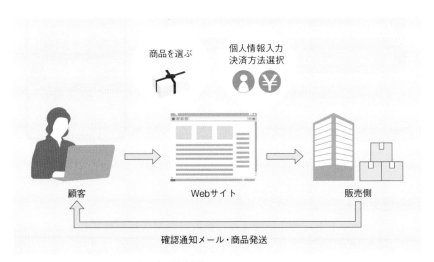

商品を選ぶ　　個人情報入力 決済方法選択

顧客　　　　Webサイト　　　　販売側

確認通知メール・商品発送

■図6.1——オンラインショッピングの取引方法

氏名や配送先の住所などの個人情報の受け渡しには,情報の漏えいを防ぐため,暗号化されたセキュリティシステム上で売買契約を行う。24時間365日,自宅にいながらにして世界中の商品を注文できるという利点がある。比較サイトなどを利用して,商品やネットショップを比べることも容易にできる。リンクからすぐに目的のショッピングサイトへ移動できる利便性の高さも,オンラインショッピングの利用度を高める一因となっている。

以下に,代表的なオンラインショップの例をあげる。

[1] シェアリングエコノミー

　消費者どうしの取引である「C to C」の代表的な例として，**ネットオークション**があげられる（図6.2）。オークション会場などで対面で行われているオークションをインターネット上で行う。出品者はオークションを開催しているWebサイトに商品の情報を登録し，最低価格，入札期限，支払方法，配送方法などを掲載する。期限内に最も高値を提示した入札者に商品が落札され，出品者と落札者は電子メールなどを利用して連絡を取り合い，商品と代金を交換するしくみである。おもにスマートフォンでの利用を対象にした**フリーマーケットアプリ**も盛んに利用されている（図6.3）。

　これらは，消費者が消費者に対してモノやサービスを提供する**シェアリングエコノミー**という考え方に基づいている。シェアリングエコノミーの実例としては，事業経営者ではない一般のドライバーが自動車に乗りたい乗客を自家用車に乗せる，ライドシェアサービスなどがあげられる。

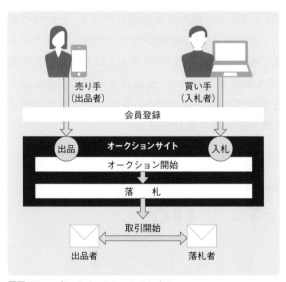

■図6.2——ネットオークションのしくみ

■図6.3——
フリマアプリ「楽天ラクマ」
（提供：楽天グループ株式会社）

[2] 電子モール

　インターネット上で商店街のように複数の仮想店舗が連立しているWebサイトを**電子モール**[*2]とよぶ。**オンラインショッピングモール**などともよばれる（図6.4，図6.5）。

*2　現在，日本では「Amazon」や「楽天市場」などが最大級の規模をもつ。

■図6.4——電子モールの例「楽天市場」
（提供：楽天グループ株式会社）

■図6.5——電子モールの例
総合オンラインストア「Amazon（アマゾン）」

消費者は複数の仮想店舗から商品を検索し，支払いから配送依頼までを一括して行うことができる。また出店者側には，ショッピングモールとしての集客力を期待できるという利点がある。

[3] 独立型ECサイト

企業や個人が独自のドメイン名[*3]を取得して運営するECサイトのことを**独立型ECサイト**とよぶ。電子モールが大型のショッピングモールであるとすると，独立型ECサイトは大きなグループに属さない個人商店にあたる。低価格で自社サイトがつくれるビジネスモデルが確立され，Webの専門的な知識がなくてもサイトの運営ができるようになったことで，独立型ECサイトが増加した。電子モールとの違いは，顧客情報を自ら獲得して施策設計を自由に行える点や，Webサイトにオリジナリティを出しやすい点である。自社のブランド力を向上させるため，ターゲットとなるユーザに直接アプローチできる点も魅力の1つである。

*3　ドメイン名については，4-1-5を参照のこと。

[4] ネットスーパー

インターネット上で生鮮食品や生活用品などの注文を受け付け，自宅まで配送するサービスを**ネットスーパー**とよぶ（図6.6）。消費者（ユーザ）が専用サイトから商品を注文後，データセンタに送られた注文内容をもとに近隣店舗の担当者が商品を梱包して発送し，自宅に商品が配達されるものが主流である。自宅で買い物ができるため，在宅勤務時や交通手段の限られた高齢者など，多くのユーザからの支持を受け需要が拡大している。

■図6.6──ネットスーパーの例
「イオンネットスーパー」（提供：イオン株式会社）

[5] BTO

消費者から受注したのち，生産者が製品を生産する取引方法を**BTO**（Build To Order）とよぶ（図6.7）。BTOを取り入れている代表的な商品にはPCがある。消費者はWebサイト上で製品のパーツや色などを選んで発注し，生産者は顧客の注文どおりにカスタマイズした製品を発送する。消費者（ユーザ）は，あらかじめ予算を組んでニーズに合ったものを手に入れることができる。また生産者（メーカー）は，完成品を在庫としてもたなくてよい分，コスト削減につながる。

■図6.7──BTOの例
「日本HP Directplus」（提供：株式会社 日本HP）

6-1-**3**　オンラインショッピングの決済方法

*4　スマートフォンや携帯電話の使用料金と一緒に請求される決済方法。

オンラインショッピングの決済方法では，クレジットカードや銀行振込，郵便振替，代金引換，携帯キャリア決済[*4]，コンビニエンスストアでの支払いなどが利用できる。さらに，キャッシュレス決済がある。これは現金での取引を行わず，電子的にデータを交換することによって代金を支払うしくみである（図6.8）。広義にはクレジットカードでの支払いもこれに含まれるが，一般には電子マネーなどインターネット上で開発されたしくみのことを指す。6-2でキャッシュレス決済について解説する。

多くのオンラインショッピングサイトでは，重要な情報がインターネット上で盗聴されたり，改ざんされたりしないように，**SSL**（Secure Sockets Layer）/**TLS**（Transport Layer Security）というしくみが利用されている[*5]。SSL/TLSでは，クレジットカード番号，購入情報，個人情報などがすべて暗号化されてやりとりされる。

*5　SSL/TLSは，インターネット上で情報を暗号化して送受信するためのプロトコルである。暗号化については，9-1-1を参照のこと。

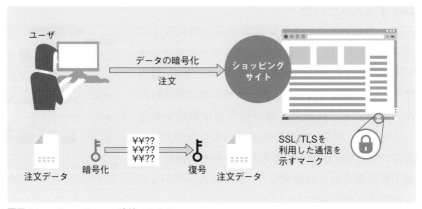

■図6.8——キャッシュレス決済のしくみ

このように，インターネットにおける代金の決済にはさまざまな方法が用意されている。ユーザの利便性を考慮すれば，より多くの決済方法に対応していることが望ましいが，企業側では申請や審査などの処理が増えてしまう。そこで，それらの処理を一本化して，さまざまな決済方法に対処できる**決済代行サービス**が提供されている。このサービスの利用により，運用の手間や経費が削減できるため，中小企業や個人においても顧客からの集金がしやすくなる。また入金に関する顧客の個人情報は，情報を預かる決済代行会社が保護する役割を担うため，決済代行サービスの利用企業が取り扱わなくてもよいという利点もある。

6-2
キャッシュレス決済

キャッシュレス決済は，日本政府による推進活動やインバウンド（海外からの旅行）の影響もあり，国内で普及した。ここでは，キャッシュレス決済のしくみと方法について解説する。

6-2-1 キャッシュレス決済とは

　現金の代わりに，別の方法で支払いや精算などをすることを**キャッシュレス決済**とよぶ。**電子決済**ともよばれる。図6.9に，電子マネーによるオンラインショッピングの決済のしくみを示す。現金を扱わないため，ショッピングや交通機関の利用時に，紙幣や硬貨を支払う手間がかからない。また，財布の中身を気にする必要がなく，多額の現金を持ち歩かなくてもよい。スーパーマーケットやコンビニエンスストアでは，人が介在せずに支払いができるセルフレジなどのシステムが導入され，さらに利便性が向上している。

　キャッシュレス決済の方法には，電子マネー，カード決済，QRコード決済などがあげられる。これらの決済方法はおもに銀行やカード会社などの金融機関により提供される。ユーザの支払いや購入履歴などのキャッシュレス決済の情報は，インターネットを経由して金融機関で一元管理される。

　金融機関が提供するキャッシュレス決済では，現金と同様の価値をもつポイントを付与するサービスが多い。ユーザは，実店舗やオンラインショッピングでの支払金額に応じてポイントを獲得できる。また，広告を閲覧したりアンケートに協力することでも，ポイントを獲得できるWebサービスがある。

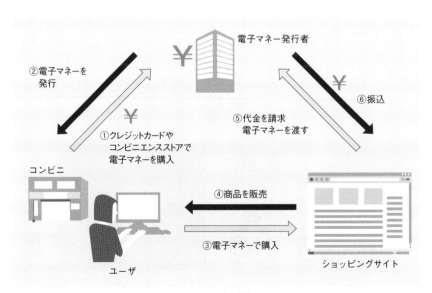

■図6.9——電子マネーによるオンラインショッピングの決済のしくみ

6-2-**2**　電子マネー

お金(貨幣価値)をディジタルデータ化したものを**電子マネー**とよぶ。電子マネーにはプリペイド型とポストペイ型がある(図6.10)。**プリペイド型**は, ユーザが電子マネーにあらかじめ入金(チャージ)した金額を利用可能の上限として使用する。駅券売機やコンビニエンスストアのレジなどでチャージができる。一方, **ポストペイ型**は使用した電子マネーの利用額を後払いするもので, クレジットカードと同様の信用決済の形態をとる。

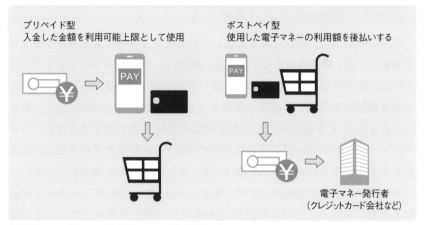

プリペイド型
入金した金額を利用可能上限として使用

ポストペイ型
使用した電子マネーの利用額を後払いする

電子マネー発行者
(クレジットカード会社など)

■図6.10——プリペイド型とポストペイ型の電子マネー

*6 ICカード型電子マネーには「Suica」や「楽天Ｅｄｙ」などがある。ICカードのしくみについては, 8-2-1を参照のこと。

電子マネーは, ICカード型とネットワーク型の大きく2つに分けられる。**ICカード型電子マネー**[*6]は, 名刺サイズほどのプラスチック製のカードに付けられた非接触型ICチップに, チャージ金額や支払金額などの電子マネーの決済情報を書き換えるものである。交通事業者が提供する交通系電子マネーと, 小売事業者が提供する商業系電子マネーのサービスがある。交通系電子マネーには, 「Suica」(図6.11)や「ICOCA」などがあげられる。ICカードに対応していれば, 電車やバスなどの交通機関を問わず1種類のカードで利用できることが多い。商業系電子マネーには, 「楽天Ｅｄｙ」(図6.12)や「WAON」, 「nanaco」, 「iD」などがあげられる。これらはコンビニエンスストアやスーパーマーケット, 家電量販店などの店舗, 自動販売機, 観光施設, 飲食店ほか, あらゆる場所で利用できることが多い。

■図6.11——交通系電子マネーの例
「Suica」(提供:東日本旅客鉄道株式会社)

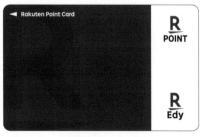

■図6.12——商業系電子マネーの例
「楽天Ｅｄｙ」(提供:楽天ペイメント株式会社)

chapter

6

2-**2**

キャッシュレス決済

さらにプラスチック製カードと同様に，非接触型ICチップが搭載された
スマートフォンなどの端末にアプリをインストールして，電子マネーを利用
することができる。この代表例には「おサイフケータイ[*7]」がある。ソニー社
が開発した「FeliCa（フェリカ）」とよばれる非接触型ICカード技術を搭載
した端末に，おサイフケータイに対応するアプリをインストールする。IC
カードリーダに端末をかざすと，財布のように電子マネーの入出金ができる。
図6.13，図6.14に，ディジタル端末で電子マネーを使用する場合のモバイル
アプリと，その使用例を示す。

*7 「おサイフケータイ」はもともとNTTドコモ社が開始したサービスで，同社の登録商標でもある。KDDI社やソフトバンクモバイル社でもおサイフケータイに対応する機種が揃っている。日本国内の電子マネーサービスではおもに「おサイフケータイ」が利用されており，海外製のディジタル端末には搭載されていないことが多いため，電子マネーサービスの利用にあたっては対応機種に留意する必要がある。

■図6.13——
モバイルアプリの例
「モバイルSuica」
（提供：東日本旅客鉄道
株式会社）

■図6.14——モバイルアプリの使用例

　なお，非接触型ICカードに組み込まれているICチップには，それぞれ固
有のIDがあるため，本人認証にも利用することができる。図6.15に示すよ
うに，カードや端末をかざすとロックが解除されるコインロッカーや，オ
フィスの入退室管理（鍵としての利用），タイムカードの記録など，さまざま
な用途で利用できる。

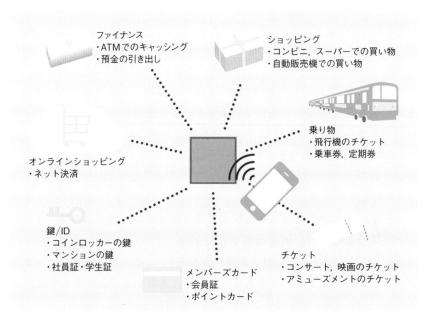

■図6.15——非接触型ICチップの利用例

一方，貨幣情報をデータとして管理することで決済を行う電子マネーを，**ネットワーク型電子マネー**とよぶ[*8]（図6.16）。ネットワーク型電子マネーを提供するサービスのサーバにユーザ情報を登録し，そこにクレジットカードやコンビニエンスストアから金額をチャージする。チャージした貨幣情報を利用してコンテンツの支払いなどの決済に利用できる。

■図6.16──ネットワーク型電子マネーの例「ビットキャッシュ」（提供：ビットキャッシュ株式会社）

*8 ネットワーク型電子マネーには「Bit Cash」や「WebMoney」などがある。

*9 バーコードは，英数字と記号の情報を縦方向（1次元）の罫線の組み合わせで置き換えている。QRコードは，英数字，漢字，カナなどの情報を縦方向と横方向（2次元）の図形で置き換えている。バーコードよりも多くの情報を扱うことができる。

6-2-3　コード決済

バーコードやQRコード[*9]による決済を，**コード決済**とよぶ。ユーザがスマートフォンにバーコードを表示させ，それを店舗側のバーコードリーダで読み取り決済する。または，店舗に掲示されているQRコードをユーザがスマートフォンで読み取り，コード決済のアプリで決済したあと，店舗側で確認する（図6.17）。あらかじめコード決済のアプリと，クレジットカードや口座情報などを紐付けておくことで，自動的に代金が支払われるしくみである。

■図6.17──QRコード決済の例「PayPay」（提供：PayPay株式会社）

　ユーザが支払った料金は，決済代行会社を経由して決済処理が行われ，その情報が決済事業者に送信される。その後，決済事業者からユーザに料金が請求される。商品提供後は，決済事業者が決済代行会社に料金を入金し，その金額から手数料を引いた額を加盟店に入金する。現在，多くの企業から複数のサービスが提供されており，ユーザどうしで金銭がやりとりできるものもある。

　ユーザは支払い時に財布から現金を取り出す手間が省けるため，会計時間が短縮できる。また，直接紙幣や硬貨を触らなくてもよいため衛生的な観点においても利点がある。加盟店側からすると，会計ミスの減少やデータ管理のしやすさがおもな利点であり，導入時に大掛かりなシステムを設置する必要がないため，規模の小さな店舗にも加盟店が拡大している。

6-2-4　カード決済

　カード決済の代表例にはクレジットカードやデビットカードがある。これらのサービスの大きな違いは決済のタイミングである。ユーザの生活スタイルによって，適したものを選択することができる。

　クレジットカードは，月に1回，支払金額の合計がまとめて請求される形態である。分割払いやリボ払いが選択でき，キャッシング機能があるものが多い。また，海外でデポジットの支払いを求められたときにも利用できる。デポジットとは，サービスに料金を支払う際の保証金のことを指す。ホテル宿泊時やレンタカー利用時など，料金の精算がサービスの利用後となる場合，店舗側で未払いを防止するために，ユーザが一時的に料金を支払わなければならないことがある。クレジットカードを所持している場合は，カードの提示やコピーのみで代用できるケースが多く，海外に出かける際には決済以外でも使える場面があるため，所持する利点は大きい。

　一方，**デビットカード**は，カード決済のたびに登録済みの銀行口座から代金が引き落とされる形態である。一括払いのみに対応し，キャッシング機能はない。デビットカードは，現在の口座残高を把握しやすく使いすぎを防止できることや，一般に審査なしで発行できることなどが利点である。

6-2-5　ポイントサービス

　インターネット上のサービスの利用や決済時において，利用に応じた**ポイントサービス**が多くの企業から提供されている。[10]さまざまな企業どうしが連携しており，利用する電子モールを限定したり，複数のポイントを二重取りできるサービスを厳選したりすることで，大量の**ポイント**を取得することもできる。

　こうしたポイントサービスを利用してポイントを獲得し，商品の購入やサービスの利用に活用することを**ポイ活**とよぶ。ポイントを利用して表示価格よりも安く商品を購入したり，ポイント数に応じて企業が提供する特典に交換したりできる。またポイントはネットショップで商品を購入する際の支払いだけでなく，実店舗での買い物などにも利用できる。ユーザは家計の固定費などの節約につなげることができ，ポイントは現金と同等の価値をもつようになっている。

　ネットショップや実店舗が提供する独自のポイント以外にも，クレジットカードや電子マネーを利用した決済で，カード会社などから付与されるポイントがある。また交通機関や宿泊施設の利用によって獲得できるポイントもある。

*10 「dポイント」や「PayPayポイント」，「Pontaポイント」，「Vポイント」，「楽天ポイント」などがあげられる。「楽天ポイント」や「dポイント」は携帯電話の使用でもポイントを貯めることができる。

6-3

金融サービス

オンラインショッピングの拡大とともに，ネットバンキングやオンライントレードなどのインターネットを利用したさまざまな金融サービスが定着した。ここでは，代表的な金融サービスについて解説する。

6-3-1　インターネットバンキング

　銀行（金融機関）がインターネットを経由して提供するWebサービスのことを**インターネットバンキング**とよぶ。銀行では，おもに預金残高や入出金の照会，口座振込や振替など，ATMで対応しているサービスを提供する（図6.18）。また，実店舗にはないインターネットバンキング独自のサービスを設けている銀行もあり，オンラインで利用する利点を高めている。

■図6.18——インターネットバンキングの例
（提供：住信SBIネット銀行株式会社）

[1] 都市銀行，地方銀行によるWebサービス

　インターネットバンキングでは，銀行は支店を設ける必要がなく，窓口対応などの管理やコストの削減が期待できる。都市銀行をはじめとして，地方銀行や信託銀行などでもWebサービスが提供されている。PCやスマートフォンなど，デバイスを選ばず利用できるサービスである。ユーザと銀行のインターネット上のやりとりでは，データの改ざん，盗聴，なりすましなどを防ぐために，ワンタイムパスワード[*11]（一定時間ごとに自動的に新しく変更され，一度しか使えない使い捨てのパスワード）を利用できることが多く，銀行もセキュリティ強化のために利用を勧めている。

*11　ワンタイムパスワードについては，9-1-3を参照のこと。

［2］店舗をもたないネット銀行

既存銀行が支店をもつのに対し，支店をほとんどもたず，インターネット上の取引を専業とする銀行を**インターネット専業銀行（ネット銀行[*12]）**とよぶ。前述した都市銀行などの既存銀行と同様に，預金残高や入出金の照会，口座振込，振替などのWebサービスを提供する。自宅や会社でPCやスマートフォンから利用できる。また支店網をもたない分コストを抑えられ，金利の上乗せや手数料引き下げなどを実施する銀行が多い。既存の銀行に比べ，独自サービスを打ち出して個性をもたせているところが多い。

*12 日本では「ジャパンネット銀行（現：PayPay銀行）」が初のネット銀行として登場し，「ソニー銀行」や「イーバンク銀行（現：楽天銀行）」，「アイワイバンク（現：セブン銀行）」などが設立された。

6-3-2　オンライントレード

インターネットを利用する株の取引を**オンライントレード[*13]**とよぶ。Webブラウザから証券会社のWebサイトにアクセスして，オンラインで株の売買を行う。店舗に出向いて窓口で取引を行うよりも手数料が安価なことが多く，ほとんどの手続きが自動化されている。また手数料が低いことを利用して，1日のうちに何度も売買を繰り返す個人投資家のことを**デイトレーダ**とよぶ。投資のみで生計を立てるデイトレーダもいる。

図6.19に証券会社のオンライントレードの例を示す。証券会社によって提供されるサービス内容は異なるが，リアルタイムな株価情報の無料提供や，取引回数に応じた証券会社独自のツールの提供がある。自宅で利用できることから，ホームトレードとよばれることもある。

*13 オンライントレードは，1998年から開始された証券業への規制緩和により，急速に成長した。

■図6.19——オンライントレードの例
トレーディングツール「HYPER SBI 2」（左）と株アプリ（右）（提供：株式会社SBI証券）

［1］フィンテック

金融とITを掛け合わせた領域のことを**フィンテック（Fintech）**とよぶ。ファイナンス（finance）とテクノロジー（technology）を組み合わせた造語であり，IT技術を使って金融を扱うこと全般を意味する。フィンテックには，たとえば人工知能（AI）を使って金融資産を自動運用するシステムや，企業の決済システムと組み合わせて自動的に入金確認や請求書に連動した振込を実現するシステムがある。また，仮想通貨を使って現金以外の金融資産で入出金を管理するサービスなどもある。

[2] 暗号資産

ブロックチェーンとよばれる分散型ネットワーク技術を用いて実現した，インターネットでやりとりする通貨（データ）のことを**暗号資産**とよぶ。**仮想通貨**ともよばれる。暗号資産交換業者で口座を開設し，暗号資産を保管するためのウォレットで管理する。暗号資産のデータを細かく分けてネットワーク全体で管理し，悪意のある第三者によるデータの改ざんを防いでいる。内容の同じデータをネットワーク上の複数の管理者が分散して管理しており，誰か一人が取引記録を改ざんしても，その改ざんはほかの管理者によって発覚する。

暗号資産の代表的な例に「ビットコイン」がある。ビットコインは暗号資産交換業者で現金と交換して入手できる。[14]ビットコインと現金とのレートは為替のように変動することから，投機の対象にもなっている。ビットコインを用いた取引は匿名で行うことができるが，犯罪やマネーロンダリング[15]などに使われる危険性もあり，利用には注意が必要である。

[3] 非代替性トークン（NFT）

今後拡大が予想されるオンライントレードの方法に，**非代替性トークン**（NFT：Non-Fungible Token）があげられる。NFTとは，特定の資産に関する唯一無二性を証明するディジタル技術のことである。暗号資産と同様にブロックチェーン上で発行や取引がなされており，NFTは資産とコピー製品を区別することで所有者を明確化できるようになっている点が大きな違いである（図6.20）。

NFT
Non-Fungible Token

特定の資産に関する唯一無二性を証明するディジタル技術

これまで
Fungible Token

元データとコピーが同じ価値

■図6.20──NFTの特徴

ディジタルデータはコピーしやすいことが原因で信頼性がなかなか付与されなかったが，NFTの登場により，資産としての価値が認められるようになった。とくにアート作品はディジタル資産として大いに活用されており，高額で取引されるNFT作品も多い。実際の絵画などと違い，紛失や焼失の危険性がないことも評価される理由となっている。アート作品だけでなく，たとえばSNSの投稿やゲームデータ，スポーツ映像などは，これからさらにNFT資産としての需要が高まると期待されている。

*14 ビットコインは，コンピュータを使った複雑な計算により入手する方法もある（この操作を採掘とよぶ）。しかし，採掘には相当に高速な計算ができるコンピュータが必要であり，個人にとっては現実的な方法ではない。

*15 詐欺や賄賂，脱税などの不正行為により得られた資金を，他人名義の口座や不正に取得した銀行口座などを利用して移動を繰り返したり，架空の売上として計上したりすることで，正当に得られた資金に見せかける行為のこと。

6-3-**3** さまざまな金融サービス

インターネット上の金融サービスの幅が広がったことにより，さまざまな
サービスが登場している。ここではクラウドファンディングや，インター
ネット保険，ネットキャッシングについて解説する。

[1] クラウドファンディング

ユーザが個人や組織に対して，インターネットを経由して資金を提供す
ることを**クラウドファンディング**（crowdfunding）とよぶ。群衆（crowd）と資金調
達（funding）を組み合わせた造語であり，**ソーシャルファンディング**ともよば
れる。ユーザが少額から支援できる募金のような形式もあり，ユニークな製
品やサービスなどが登場するようになっている。

クラウドファンディングでは，ユーザが支援した事業が途中で頓挫するリ
スクがある一方で，先行販売による購入や，価格が安くなるといった特典が
付く例が多くある。また製品やサービスの登場以外にも，資金不足などの
理由で制作できなかった映画やアニメ，漫画，劇場公演などのコンテンツの
制作および上映・上演や，地域振興の一環としてふるさと納税の控除を特
典扱いにするものなど，ICT 以外の分野でもクラウドファンディングが活用
されている。

[2] インターネット保険

たとえば生命保険や損害保険の加入サービス
を利用する場合，氏名や生年月日，住所など，契
約に必要な個人情報をインターネット上で入力
し，予算や内容に応じたプランを選択することで
手続きを行う Web サービスのことを，**インター
ネット保険**とよぶ。図6.21にインターネットで加
入できる保険会社の例を示す。かんたんに保険
に加入できることがインターネット保険の大きな
利点である。

■図6.21——インターネットで加入できる保険の例
「ライフネット生命保険株式会社」
（提供：ライフネット生命保険株式会社／画像は2023年1月撮影）

[3] ネットキャッシング

ネットキャッシングも，全国のどこからでも審査や契約の手続きを行うこ
とができる Web サービスである。金融機関の営業時間外でも手数料が無料
となる場合が多く，金融機関が設けた一定期間内に返済すれば無利息とな
るサービスを提供する会社もある。保証人や担保，年会費は原則として不要
の場合が多く，ショッピングなどに利用できるクレジット機能付きのカード
を発行するサービスもある。

chapter

6

3-3

金融サービス

117

6-4

クラウドサービス

クラウドサービスを利用して, アプリケーションソフトウェアやサーバなどを利用することが多くなった。ここでは, クラウドサービスのうち, SaaS, PaaS, IaaSについて解説する。

6-4-**1**　クラウドサービスの導入

　クラウド(cloud)はネットワーク経由で提供されるサービスの総称であり, インターネットに接続できれば, どこからでも同じように利用できるという特徴がある。従来ハードウェアやソフトウェアが担ってきた機能を, インターネットを利用してサービスとして提供する形態を**クラウドコンピューティング**とよぶ。サーバやネットワーク, ストレージなどのハードウェア, OS, ミドルウェア, アプリケーションソフトウェアが, 仮想化技術によってインターネット上で即座に実行可能な状態に置かれている(図6.22)。ユーザが使いたいときにすぐに使えるように構成されたシステムが, **クラウドサービス**として提供されている。

*16 コンピュータの構成については, 3-2を, OSについては, 3-3を参照のこと。

*17 仮想化については, 3-3-2を参照のこと。

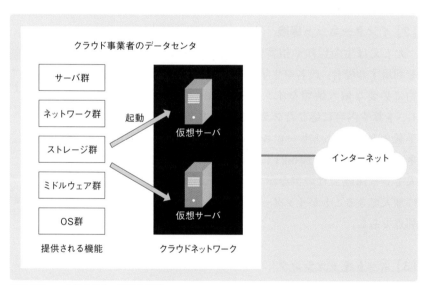

■図6.22——クラウドサービスの概要

　クラウドサービスは, 提供される機能や内容によって大きく3つに分類される。図6.23に, クラウドサービスの種類と提供される機能を示す。

[1] SaaS

　ソフトウェアをサービスとして提供するものを**SaaS**(Software as a Service)とよぶ。具体的には, 普段利用するアプリケーションソフトウェアの機能を提供する。従来ソフトウェアはその使用権をライセンスという形式で購入

して利用する形態が一般的であったが，SaaSでは，たとえば1カ月間といっ
た一定期間利用できる権利を提供する形式が主流となっている。

[2] PaaS

アプリケーションを実行するための環境（プラットフォーム）を提供する
ものをPaaS（Platform as a Service）とよぶ。一般には，OSやデータベースなど
のミドルウェア，アプリケーションサーバなどの実行環境を提供する。OS
をインストールしたレンタルサーバや，プログラムをアップロードするだけ
で実行準備が整うプラットフォームなどがそれに相当する。OSなどのプ
ラットフォームはあらかじめ決まっており，希望するものをインストールし
なおすことはできない。

[3] IaaS

ハードウェアやネットワークなどインフラのみを提供するものをIaaS
（Infrastructure as a Service）とよぶ。一般には，ハードウェアを仮想化して物理
サーバ上で実行する仮想サーバ，あるいは物理サーバそのものをリソース
として提供するサービスである。OSは自分でインストールする必要がある
が，希望するものを選べるため自由度が高い。

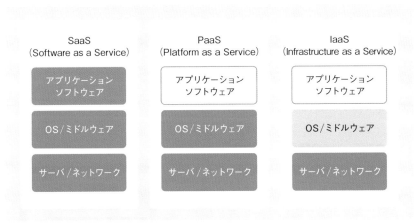

■図6.23——クラウドサービスの種類と提供される機能

6-4-2　クラウドサービスの例

chapter2でふれた「Adobe Creative Cloud」や，chapter5でふれた
「Microsoft 365」がSaaSにあたる。光学メディアに記録されたアプリケー
ションソフトウェア（パッケージソフト）をコンピュータにインストールす
る場合に比べて，費用の点で導入がしやすい。

ERP[*18]（Enterprise Resource Planning）は，人事や財務・会計，販売，生産などの経
営情報を一元化する，企業の統合基幹業務システムである。経営情報を有
効活用して，経営の効率化や業績の向上を図る。企業の規模や業務内容に
応じてSaaS，PaaS，IaaSから必要なものを選択し，ERPを構築できる。

*18 代表的なERP
にはエスエーピー社
の「SAP」がある。

119

6-5

コンテンツ配信

インターネットの通信速度の向上とスマートフォンの普及により，コンテンツ配信サービスの利用がより身近なものとなった。新型コロナウイルス感染症の拡大防止対策により外出する機会が減ったことで，自宅で動画配信コンテンツやオンラインゲームを楽しむユーザが増加した。また，需要の高まりとともにコンテンツ配信サービスも拡大している。ここでは，インターネットで配信されるさまざまなコンテンツについて解説する。

6-5-1　コンテンツビジネス

エンタテインメントにおける文字や音声，画像，動画などの情報を**コンテンツ**とよび，コンテンツを提供するサービスを**コンテンツビジネス**とよぶ。映像や音楽などのコンテンツを制作する映画会社やレコード会社，出版社，ゲームメーカなどがインターネット上でコンテンツを配信して収益をあげている。

音楽や映像などのコンテンツを提供する企業，またはコンテンツそのものを**OTT**（Over The Top）とよぶ。ISPや通信事業者ではない企業が運営し，大量のデータ通信が発生するサービスを，とくにOTTとよぶことが多い。OTTは後述するインターネット上でのVODサービスや，放送番組のネット配信なども始めており，とくに動画配信においてはさまざまなサービスが登場して競争が激化している。[19]

*19　chapter 6では，映画や放送番組などユーザに販売・提供された動画コンテンツを映像としている。また映像も含む，動画コンテンツの配信サービスを動画配信としている。

[1] コンテンツの種類

音楽や電子書籍，映像や動画，ゲームなど，あらゆるコンテンツがディジタル化され，コンテンツ配信サービスとしてインターネット上で提供されている。

たとえば音楽コンテンツでは，音楽配信サービスの普及により，好みのアーティストの曲をどこにいても即時に入手できるようになった[20]（図6.24）。配信されている音楽はWMAやAACなどの音楽フォーマットでダウンロードして，ディジタルオーディオプレーヤや，スマートフォン，PCにインストールした専用プレーヤなどに転送して楽しむことができる。音楽配信サービスごとにオンライン先行配信や，アーティストからのオリジナル楽曲の独占配信など，独自のサービスがある。

■図6.24──音楽配信サービスの例「iTunes」（©Apple Japan, Inc.）

*20　ソニー・ミュージックソリューションズ社の「mora」や，アップル社の「iTunes」から接続できる「iTunes Store」がある。

電子書籍コンテンツに関しては，紙の本と同時に電子版が発売されるようになり，より身近なものとなった。とくに漫画（コミック）においては2021年のコミック市場全体における販売金額の6割以上が電子版によるも

のとなっており,[21] スマートフォンアプリでの利用が増えている。電子書籍を販売するWebサービスでは,コミックや小説が1冊単位で購入できるサービスや,後述する定額読み放題のサブスクリプションサービス,雑誌の特定の記事だけを購入できるサービス[22]などがある。

[2] 収益化のしくみ

コンテンツを配信することで収益をあげるしくみには,コンテンツ単体のダウンロード販売や,コンテンツを一定期間利用できる定額制サービスがある。さらに,広告収入による収益化と,サブスクリプションモデルによる収益化がある。

広告収入による収益化とは,たとえば動画配信の場合,ユーザが視聴している途中に挿入される広告の表示回数が対象であり,これが配信者の収益につながっている。一般に,動画配信サービスが設定する特定の条件を満たす場合に,配信側は広告収入を得られる。

サブスクリプションモデルによる収益化は,ユーザが利用した時間やデータの通信量にかかわらず,定額料金を支払うことで一定期間,動画配信サービスが提供する無数のコンテンツを自由に楽しめる。[23] 従来の定額制サービスと似ているが,配信者側からみると,定額制サービスは特定の商品やサービスを提供すること自体が目的であった。これに対してサブスクリプションサービスでは,コンテンツの所有よりも利用を重視するユーザの行動の変化に対応して,収益機会を確保し,一定期間安定した収益を得ることを目的としている。また,サービスの提供を通じて,ユーザにより幅広いコンテンツへのアクセスの機会を提供し,顧客生涯価値(一人のユーザが企業に与える価値)を上昇させることも目的である。

配信者はユーザの需要や満足度を分析し,サービスのさらなる充実や新たな価値を創出し提供することで,ユーザに長期にわたって何度でもサービスを利用してもらうことがより重要となる。

6-5-2 動画配信

動画コンテンツは,映画,国内や海外で放映されたテレビ番組,動画配信サービスが独自に配信するオリジナル番組や,ユーザ自身が撮影・編集して投稿する動画,リアルタイムのライブ配信やゲーム実況など,多岐にわたる。ここでは,代表的な動画配信サービスについて解説する。

[1] 映像コンテンツ

映像コンテンツの配信サービスは,**ビデオオンデマンド**(VOD:Video On Demand)サービスともよばれる。[24] 無料と有料で利用できるものがあり,有料サービスには,定額制を表すSVOD(Subscription Video On Demand)とレンタルを表すTVOD(Transactional Video On Demand),ダウンロード販売を表すEST(Electronic Sell Through)がある。配信コンテンツは,海外で放映された

*21 公益社団法人全国出版協会・出版科学研究所『出版月報』2022年2月号を参照。

*22 NTTドコモ社の「dマガジン」などにある機能。電子書籍サービスには,アマゾン社の「Kindle」や,大日本印刷社の「honto」などがあげられる。

*23 サブスクリプションサービスは映像や音楽などのコンテンツ配信をはじめとして,衣服や家具などの日用品や車など,さまざまな分野で提供されている。

*24 VODサービスには,「ABEMA」,「Amazonプライム・ビデオ」,「Hulu」,「Rakuten TV」,「Netflix」などがある。

テレビドラマや，旅行や鉄道といった特定の趣味を深く追求する番組など，通常のテレビ放送ではあまり見られないようなものも多い。

　テレビ番組では，見逃し配信サービスや，オンデマンド配信サービスなどがある。[*25]また無料の動画配信サービスとして，インターネットテレビがある。[*26]20以上のチャンネルがあり，地上ディジタル放送と同様に各チャンネルで時間帯に応じた番組が配信されている。

　さらに，ユーザ個人が動画を撮影・編集し「YouTube」や「ニコニコ動画」などの動画配信サービスを利用して投稿する動画コンテンツもある。

　動画配信サービスは国内，海外問わず，またISPや放送，OTTなどさまざまな業界からサービスが提供されており，ユーザは自分に合ったサービスを選択して動画コンテンツを楽しむことができる。

[2] ライブ配信コンテンツ

　感染症の防止対策により，ユーザは外出を控えることが多くなった。ライブパフォーマンスやスポーツ観戦など人が集まるイベントも制限されたことなどから，これまで以上にリアルタイムに視聴や体験ができる**ライブ配信**などのコンテンツの利用が高まった。

　たとえば，生放送で試合が楽しめるスポーツイベントや（図6.25），大人数の客が来場するファッションイベント，現地とは異なるカメラアングルで視聴できるライブイベントなどが例にあげられる。また，VR技術を利用して，ライブ配信を視聴しながら観光地を巡るオンラインツアーは，あたかも旅行先の観光スポットを歩いているかのような没入感を得ることができ，旅行に出かけている気分を体験することができる。

　子育てや介護で外出できない，体力に不安があるなど，さまざまな事情によって現地に足を運ぶことができなかったユーザが，ライブ配信を通してリアルタイムにコンテンツを楽しむことができるサービスが登場している。

　また，動画コンテンツのリアルタイム配信を行う配信者は，ライバーなどとよばれる。[*27]視聴者（ユーザ）は，ライバーに対してコメントの書き込みや投げ銭（たとえばライブ配信中に任意の金額を送ること）をすることで，応援や支援を伝えられる。ライバーはこの投げ銭により収入を得ることができ，[*28]さらに，ライブ配信の内容や感想をリアルタイムにSNSに投稿して，別のユーザと情報を共有する**ソーシャル視聴**も行われており，新たなコミュニケーションを生み出している。

■図6.25——スポーツライブ配信の例
「Hulu」（提供：HJホールディングス株式会社）

---

*25 放送番組の動画配信コンテンツについては，8-1-4で解説する。

*26 たとえば，サイバーエージェントとテレビ朝日が出資して設立したAbemaTV社が運営するインターネットテレビの「ABEMA」などがある。

*27 動画コンテンツを配信する投稿者の呼称は，配信スタイルや利用するWebサービスなどに応じてさまざまであり，厳密に分けられるものではないが，おもにライブ配信アプリなどのWebサービスからライブ配信を行う投稿者全般がライバーとよばれている。なお「YouTube」で動画配信を定期的に行う投稿者は，総称して「YouTuber」とよばれる。また，2次元CGや3次元CGで制作されたアバタ（キャラクタ）により動画配信を行う投稿者は「Virtual YouTuber（VTuber）」とよばれ，とくにアバタによるライブ配信を行う投稿者は「Vライバー」とよばれる。撮影・編集された動画コンテンツの投稿やライブ配信がなされている。

*28 ライブ配信サイトによっては投げ銭機能の利用に条件を課すものがある。たとえば「YouTube」では，18歳以上，チャンネル登録者数が1,000人以上，直近12カ月の総再生時間が4,000時間以上という条件がある（2023年1月現在）。

[3] ゲームコンテンツ

　インターネットの通信技術が向上し，高速・大容量通信や低遅延が実現したことにより，高画質かつ高品質なオンラインゲームが楽しめるようになった。オンラインゲームでは，ユーザどうしがゲームのデータを共有する必要があるため，インターネットを利用して各ゲーム会社が運営するサーバにアクセスし，ログインしてプレーするものが多い。

　これまで，ある特定のゲームを楽しむためには専用のゲーム機を利用する必要があり，同種のゲーム機を所持するユーザだけに参加が限定されていたが，ハードウェアやOSを選ばずに，PCやスマートフォン，タブレット，各種ゲーム専用機など，どの端末からでもオンラインゲームに参加できる**クロスプラットフォーム**に対応するゲームが登場した（図6.26）。それに対応するゲームタイトルには，「Among Us」や「Apex Legends」，「FORTNITE」，「Minecraft」などがある。1つのゲームコンテンツに多くのユーザが参加し，バーチャルな空間で第三者とリアルタイムにコミュニケーションをとりながら，一緒にゲームを楽しむことができるようになった。オンラインゲームに参加しやすくなったことがユーザの増加につながっている。

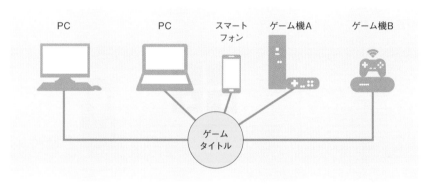

■図6.26——クロスプラットフォームの例

　スポーツのようにビデオゲームで対戦する競技のことを**eスポーツ**とよぶ。企業がスポンサーとなって資金を提供し，大会やイベントが開催されるようになり，賞金を獲得するプロゲーマーが登場した（図6.27）。世界的に大きく市場が拡大しており，多くのユーザの支持を集めている。また，一般のプレーヤがゲームをプレーするようすを配信する**ゲーム実況**も，動画配信コンテンツとしてのジャンルを確立している。

■図6.27——eスポーツの例「CAPCOM Pro Tour 2019 アジアプレミア」
予選大会で並んで対戦する試合のようす(左)と大会本戦会場のようす(右)

　ユーザがコンテンツを閲覧・視聴する場合，映像1作品，電子書籍1冊といった単体でのコンテンツの購入や，前述したサブスクリプションサービスを利用する。多くのコンテンツ配信サービスでは，PC，スマートフォンなど，どの端末を利用しても同じように閲覧や視聴ができる**マルチデバイス**に対応している。1つのユーザアカウントで，自宅ではPCで，通学や通勤時はスマートフォンでコンテンツを楽しむという使い方ができる。配信サービスには，端末にコンテンツをあらかじめダウンロードできるものがある。ユーザは電波の状態や通信料を気にせず，いつでもどこでもコンテンツを楽しむことができる。

[1] ダウンロード型の動画配信

　動画データ全体を端末のハードディスクにダウンロードして保存する方法が**ダウンロード型**である（図6.28）。ファイル全体のダウンロードが終わるまでは動画コンテンツを再生できないが，ダウンロードが完了すれば，オフラインで再生して楽しむことができる。ライセンスが管理され，再生期限が設定されているものが多い。

■図6.28──ダウンロード型配信のしくみ

[2] ストリーミング型の動画配信

　動画データを受信しながら再生する動画配信方法が**ストリーミング型**である（図6.29）。ダウンロード型のように保存するまで再生を待つ必要はなく，逐次再生することができる。ライブ放送や映画など長時間のタイトルを高画質な動画で楽しめるというメリットがある反面，ダウンロード型のように一度の動画コンテンツの取得で何度も繰り返し再生することはできないという欠点もある。ストリーミング型の動画配信サービスには，「YouTube」や「ニコニコ動画」，「ABEMA」，「TVer（ティーバー）」などがあげられる。

■図6.29──ストリーミング型配信のしくみ

6-6
広告とマーケティング

Webサイトに掲載される広告が重要視されるようになり，さまざまな広告システムや課金システムが導入された。ここでは，ネットマーケティングの種類と宣伝方法について解説する。

6-6-1　ネットマーケティングの重要性

　インターネット上で行われるマーケティング活動を総称して**ネットマーケティング**とよぶ。**Webマーケティング**ともよばれる。企業では宣伝用にWebサイトを公開し，インターネット上でマーケティング調査を行うとともに，SNSや電子メール，掲示板などで直接顧客と対話する。とくに，「LINE」や「Twitter」，「Facebook」，「Instagram」などのSNSの公式アカウントを利用した企業のマーケティング活動が増えている。顧客の行動を把握して，それを広告や人材採用などに生かす傾向にある。

　インターネットの広告費は年々増加している。電通が2022年2月に発表した「2021年日本の広告費」によると，マスコミ四媒体（新聞，雑誌，テレビ，ラジオ）の広告費が2兆4,538億円であるのに対して，インターネットの広告費は2兆7,052億円と，はじめてインターネット広告費がマスコミ四媒体広告費を上まわった（図6.30）。スマートフォンの普及率の上昇も影響しており，総務省の令和3年通信利用動向調査によると，スマートフォンの個人の保有の割合は74.3％である。これらのことからもネットマーケティングの重要性がより高まっていることがわかる。

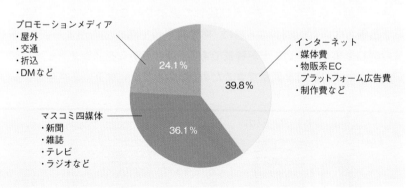

■図6.30──インターネットの広告費
（出典：株式会社 電通「2021年 日本の広告費」https://www.dentsu.co.jp/news/item-cms/2022003-0224.pdf）

6-6-2　Web広告の種類

　ネットマーケティングで重要な役割を果たすものが，**Web広告**である。ユーザがインターネット上で情報を収集する際に訴求できる。ここでは，

広告の種類や料金形態，配信方法の順で代表的なWeb広告について解説する。

[1] 純広告

　Webサイト上の広告枠を買い取る形式で掲載する広告が**純広告**である。**買い切り広告**ともよばれる。事前に表示期間や表示回数などの詳細を決めて契約を結び，費用を払うことで契約に従って広告が掲載される。この点は，広告掲載を始めてから表示回数などを調整する，後述する運用型広告とは異なる。

[2] ディスプレイ広告

　Webサイト上の広告枠を使用する広告形態のことを**ディスプレイ広告**とよぶ。運用型広告の代表格でもある。純広告との違いは，広告の表示回数や掲載期間などが任意で設定できることである。サイズの大きいバナー画像の使用が多いため，**バナー広告**ともよばれている。Webページに掲載された画像ファイルをクリックすると，リンク先のWebサイトに誘導される。バナー画像はユーザにインパクトを与えられるため，商材のビジュアルを効果的に伝えやすいという特長がある。

[3] テキスト広告

　画像を使用せず，Webサイト内の文章に直接リンクを設定し，Webサイトに誘導するものを**テキスト広告**とよぶ。テキスト広告は新着情報や紹介文など，文章に自然に組み込むことが可能である。バナー広告よりも高い広告効果が得られることもある。

[4] リスティング広告

　ユーザが検索したキーワードに応じて表示される広告のことを**リスティング広告**とよぶ（図6.31）。一般に，検索結果の上部に広告が表示され，ユーザの関心を集めやすいことが特長である。はじめから商品やサービスに興味があるユーザに広告を表示できるため，効果的なマーケティングができる。

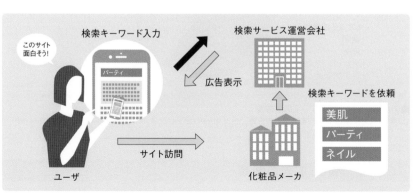

■図6.31──リスティング広告のしくみ

*29 日本で知られている2大リスティング広告として，「Google広告」と「Yahoo!広告」がある。リスティング広告は，検索連動型広告，キーワード広告，P4Pとよばれることもある。

[5] リターゲティング広告

ユーザが過去に訪問したことのあるWebサイトに関連する広告を，ユーザのCookie情報から判断して表示する広告手法を**リターゲティング広告**とよぶ。すでに商品やサービスを認知しているユーザに向けて広告を配信することで購買意欲をかき立て，コンバージョン^{*30}につなげる効果がある。

＊30 たとえばユーザによる会員登録や商品の購入など，広告提供者がユーザに期待する行動のこと。

[6] ポップアップ広告

広告を掲載しているWebサイトにアクセスすると自動的にWebブラウザの別ウィンドウが開き，広告が表示される。これを**ポップアップ広告**とよぶ。大量にポップアップ広告が開かれるWebサイトもあり，ユーザに不快感を与えることがある。ポップアップをブロックする機能を備えたWebブラウザがあり，広告として効果が見込めない場合もある。

[7] メール広告

あらかじめ興味をもつ対象を登録したユーザに対して，希望する情報を電子メール^{*31}で送信する広告を**メール広告**とよび，事前にユーザに広告配信の許可を求めることを**オプトイン**とよぶ。ダイレクトメールに類する広告であるが，対象を絞り込んで送信できる分，ユーザからの反応（レスポンス）を得られる可能性が高い。

＊31 電子メールについては，5-2を参照のこと。

[8] SNS広告

「LINE」や「Twitter」，「Facebook」，「Instagram」などのSNSを利用した広告を**SNS広告**^{*32}とよぶ。SNSでは，ユーザがアカウント登録時に詳細な個人情報を登録するため，高いターゲティング（対象者を絞り込んで行うマーケティング）ができる点が大きな特長である。

＊32 SNSについては，5-3-1を参照のこと。

[9] 動画広告

インターネット上で動画で配信される広告のことを**動画広告**とよび，需要が大きく伸びている。広告は「YouTube」などの動画配信サービス内で表示される以外に，特定のWebページが表示される前に挿入される全面広告や，Webページの閲覧によりゲームに利用できるポイントが得られる広告など，掲載先や種類が多岐にわたる。また，Webサイト内に設定された広告枠がユーザのスクロールにより表示されると動画広告が始まる機能をもたせるしくみもある。

[10] アプリ広告

スマートフォンのアプリに埋め込む広告を**アプリ広告**とよぶ。アプリの操作中につねに表示される広告や，画面が切り替わるときに全面に表示される広告がある。多くのスマートフォンのアプリが無償で提供されている理由は，こうしたアプリ広告の収益がアプリ開発者に還元されるためである。

　Web広告には，それぞれの広告の特徴に合ったいくつかの料金形態がある。代表的なものに，出稿期間保証型，インプレッション保証型，クリック保証型，成果報酬型がある（表6.2）。**出稿期間保証型**は広告が出される期間で料金が決まる。同様に**インプレッション保証型**は表示回数，**クリック保証型**は広告リンクがクリックされる回数，**成果報酬型**は実売につながった数で広告料金が決まる。これら以外にも，広告の配信件数によって料金が変わる配信数型や，動画広告の視聴回数によって料金が決まる視聴単価型の料金形態も存在する。

■表6.2——Web広告の取引形態

取引形態の種類	特性
出稿期間保証型	広告が出される期間で料金が決まる方式。広告主に保証されているものは単に出稿期間であるため，インプレッション数が変動する可能性がある。
インプレッション保証型	広告となる文章や画像の表示回数（インプレッション）に応じて料金が決まる方式。インプレッションが多いほど料金は高くなるが，逆に1インプレッションあたりの単価は低くなるのが一般的である。広告は保証されたインプレッション数に到達するまで掲載され続ける。「ページビュー保証型広告」や「PV保証型広告」とよばれることもある。おもにアクセス件数が多い大手のポータルサイトなどで扱われている。
クリック保証型	広告リンクがクリックされる回数で料金が決まる方式。指定したクリック数に到達するまで広告が掲載される。出稿期間保証型やインプレッション保証型と比較して，広告主にとってはクリックという効果が保証されるメリットがある。その一方で広告会社や媒体社側のリスクが大きく（ディスプレイ広告のクリック率の低下でクリック達成期間が予想しづらい），Web広告業者のなかにはクリック保証型広告から撤退した例もある。
成果報酬型	掲載された広告がクリックされて，資料請求や会員登録，商品の購入など，実際に何らかの成果があった場合に料金が発生する方式。費用対効果を追求する広告主から支持されている。広告のインプレッション数やクリック数によって料金が変動することはない。

　インターネットの広告では，3つの効果をねらっている。Webサイトや広告バナーが訪問するユーザの目に触れることで広告そのものがどのくらい目立ったのかを示す**インプレッション効果**，広告をどのくらいクリックさせサイトに誘導したかを示す**レスポンス効果**，広告によってユーザが実際にどれくらい商品を購入したり資料請求を行ったりしたかを示す**アクション効果**である。とくにレスポンス効果は，**トラフィック効果**とよばれることもあり，ほかの広告媒体にはないWeb広告のみの特長である。

　広告の出稿側が媒体の広告枠をインプレッション単位でリアルタイムに入札するWeb広告のしくみを，**RTB**（Real Time Bidding）とよぶ。出稿側は，広告を表示させたい媒体や記事，ユーザ層をあらかじめ指定する。条件に該当するWebページにインプレッションが発生すると入札が実施され，最も

高い価格で入札した出稿側の広告がWebページに表示される。出稿側は，ターゲットとしているユーザ層に確実に表示できる広告を，インプレッション単位で購入できる。一方，媒体側は，入札により広告枠をより高い単価で販売できる。

6-6-4　Web広告の配信

　Web広告には，さまざまな種類と料金形態があることを述べた。ここでは，こうしたWeb広告の代表的な配信方法について解説する。

[1] アドネットワーク

　Webサイトやブログ，ソーシャルメディアなど，インターネットでの広告媒体を多数集め，これらの媒体に対してまとめて広告を配信するしくみを**アドネットワーク**とよぶ。このしくみができるまでは，それぞれの広告媒体に対して個別に広告の出稿を依頼しなければならなかった。また，広告媒体ごとにしくみが異なるため，掲載までに時間と手間がかかり，掲載後のデータの分析が難しくなるなどの課題があった。アドネットワークはこれらの課題を解消し，広告業務の効率化を図っている。

[2] アドエクスチェンジ

　アドネットワークどうしをつなげて，どのアドネットワークを使って広告を掲載するのかを決めるしくみを，**アドエクスチェンジ**とよぶ。アドエクスチェンジを使った広告配信では，広告主側（デマンドサイド）と媒体側（サプライサイド）の双方が，インプレッションを基準とした単価として，いくらで広告枠を売買したいのかを登録しておく。すると金額に見合った場所に広告が掲載されるというしくみである（図6.32）。広告主側はDSP（Demand Side Platform）というツールを使って広告出稿の予算を決めたり，入札価格を設定したりする。一方，媒体側はSSP（Supply Side Platform）というツールを使って，ページの広告枠をいくらで売るのか設定する。

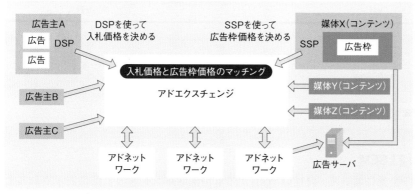

■図6.32——アドエクスチェンジによる広告の配信のしくみ

[3] Cookie規制の影響

＊33 Cookieについては、5-1-6を参照のこと。

個人情報保護の観点から，Cookie の利用が規制される傾向にある。とくに，Cookieの情報をもとに広告を表示させるリターゲティング広告が制限される可能性が高まっている。Cookie規制が進めば，商品購入などの成果達成を示すコンバージョンの計測精度が低下することも考えられる。

6-6-5　ネットマーケティングの種類

インターネットから求めたい情報を得る手段として，多くのユーザは「Google」や「Yahoo! JAPAN」などの検索サイトを利用している。さらに商品を見極めるために，消費者の生の声が掲載されたWebサイトやブログなどの個人サイトから情報を収集する。このようなネットユーザの傾向を生かして，高い宣伝効果をねらうネットマーケティングの種類について解説する。

[1] アフィリエイト

たとえば図6.33に示すように，ある商品を販売する企業X社が，A氏のブログに商品のWebページのリンクを設定し，A氏のブログを閲覧したユーザがリンクを経由して商品を購入した場合に，A氏にX社から報酬が支払われるしくみがある。これを**アフィリエイト**とよぶ。アフィリエイトには「提携する」という意味があり，企業とWebサイトの運営者が「提携」することで「成果」をあげる。ブログではこうしたリンクが設定されていることも多い。Webサービスによっては，アフィリエイトを許可していないものもあり，アフィリエイトを行う場合は規約を確認する必要がある。

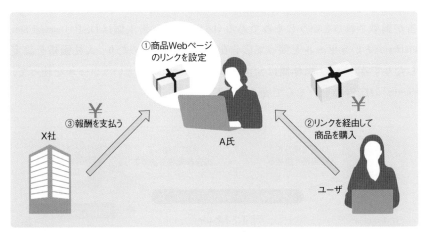

①商品Webページのリンクを設定
③報酬を支払う
X社
A氏
②リンクを経由して商品を購入
ユーザ

■図6.33——アフィリエイトのしくみ

[2] SEM

企業において，自社のWebサイトが検索エンジンの上位に表示されるように工夫することを，**検索エンジン最適化**（SEO：Search Engine Optimization）とよぶ。「Google」などの検索エンジンでは，独自のアルゴリズムに基づいて検

索結果の順位を算出する。このアルゴリズムを分析することで，自社の Web サイトを検索結果の上位に表示させることがある程度可能となり，ユーザの目につきやすくなる。また，検索エンジンを1つの広告媒体として積極的に活用し，集客を増やす手法を**検索エンジンマーケティング**（SEM：Search Engine Marketing）とよぶ。具体的には，SEM は SEO にリスティング広告などを組み合わせて行われる。また，外部リンクから自社の Web サイトに訪れる際に，最初に表示されるページを**ランディングページ**とよぶ。ランディングページは必ずしもトップページである必要はない。たとえば，ある製品の広告バナーなどのリンクであれば，ランディングページはその製品のページに設定したほうがユーザの利便性が向上する。トップページからその製品を探してリンクをたどることは，ユーザに手間を強いることになるためである。このように，ユーザが他社の Web サイトへ離脱することを防ぐ方法を**ランディングページ最適化**（LPO：Landing Page Optimization）ともよぶ。

[3] 顧客サービス

　Web サイトを効果的な媒体として活用するためには，Web サイトを訪れたユーザにとって利便性が高いかどうかが大きな課題となる。Web サイトを訪れたユーザがどのような情報に興味があるのかを的確に把握し，それに関連した情報への容易なアクセスや，商品やサービスの購入が手間なくできなければ，Web サイトの運営に対する投資対効果が薄れてしまう。このような課題に対し，「Google アナリティクス」のような**アクセス解析**が活用されている。通販サイトの売り上げやコンバージョン数，ユーザの訪問経路など，さまざまな情報の解析が可能であり，これらの解析情報をもとにユーザの嗜好やインターネット上での行動を分析し，Web サイトのデザインや広告の表示方法を最適化できる。また，顧客に対し，何度も同じサービスやショッピングサイトを利用してもらうための動機付けとして，各顧客の購買行動に合わせてクーポンを発行したり，ポイントプログラムなどの特典を提供したりしている企業も多い。

[4] CGM

　個人ユーザの参加によりコンテンツがつくられるメディアのことを，**コンシューマジェネレイテッドメディア**（CGM：Consumer Generated Media）とよぶ。消費者生成メディアなどと訳される。また，そこで生成されるコンテンツは**ユーザ生成コンテンツ**（UGC：User Generated Content）[*34]とよばれる。口コミサイトや掲示板，ナレッジコミュニティ，SNS，動画共有サービスなどがこれにあたる。たとえば，レシピサイトの「クックパッド」は，ユーザによって投稿されたレシピがそのままコンテンツとなっている。インターネットでは口コミをマーケティングに利用する動きがあり，CGM の考え方もその1つである。

*34 こうしたコミュニケーションサービスについては，5-3-1 を参照のこと。

[5] コンテンツマーケティング

　企業自らが運営するWebサイトやブログ，SNSなどの自社メディアのことを**オウンドメディア**とよび，これを利用したマーケティングが行われている。

　ユーザにとって価値がある情報コンテンツを事前に提供し，商品やサービスに興味や関心をもってもらうマーケティング手法を，**コンテンツマーケティング**とよぶ。また，コンテンツマーケティングにより自社に興味や関心をもったユーザの期待に応えながら，顧客を増やしていく考え方を，**インバウンドマーケティング**とよぶ。

　メールマガジン（メルマガ）配信もコンテンツマーケティングの手法に含まれる。シンプルな方法で定期的に情報を発信できるメルマガは，長きにわたりマーケティングに活用されている人気のオウンドメディアである。SNSによるコミュニティ形成も，商品やサービスのファンを育てるという点で効果的である。

　情報を動画コンテンツにまとめて作成する**動画活用**という手法もある。企業が保有するノウハウをオンラインセミナー形式でユーザに提供し，商材に好感をもってもらう**ウェビナー**も，高い効果が見込まれる手法である。また，ユーザと直接コミュニケーションをとりながらマーケティングを実施する方法の代表例に，**ライブコマース**がある。ライブ配信をとおして商材の魅力を伝え，ユーザからの素朴な質問に回答しながら，商品やサービスの販売につなげる手法である。ライブコマースはアジア圏を中心に新しい商品販売のプラットフォームになりつつある。

　コンテンツマーケティングを効果的に進めるには，サポートツールを使うことも重要である。たとえば顧客情報を一元的に管理する**顧客関係管理システム**（CRM：Customer Relationship Management）や，マーケティング業務の自動化が可能な**MA**（Marketing Automation）を活用すると，担当者の業務効率化とともに，よりブラッシュアップされた精度の高い情報をユーザに届けることが可能になる。

6-6-6　広告価値毀損への留意

　これまで解説してきた広告手法を実行する際は，広告価値を毀損する内容になっていないか，よく考慮する必要がある。とくに注目すべきは，アドフラウド（不正行為によるクリックの水増しなどで，不当に広告費を発生させる悪質行為），ブランドセーフティ（自社の広告が，企業のブランド力を損なうようなその企業にとって好ましくないWebサイトに表示される危険性への対応），ビューアビリティ（広告が表示された回数のうち，ユーザが実際に閲覧できる場所に表示された広告の割合）の3点である。これら3点については，公益社団法人　日本アドバタイザーズ協会が発表したディジタル広告の課題に対する宣言でも大きく触れられている。9-3-2で，情報を発信する責任について解説する。

chapter

7

ディジタルと
ネットワークの活用で
変わるライフスタイル

新型コロナウイルス感染症の拡大を発端に，企業ではテレワーク勤
務が推奨され，教育機関では一斉休校を強いられた。オンライン環
境下での勤務や学習を実現するために，通信環境や必要な設備が整
備され，ディジタル化が急速に進んだ。ここでは，社会のディジタ
ル化がライフスタイルやワークスタイルに大きな変化をもたらし
ていることについて解説する。

7-1

加速する社会のディジタル化

ICT（情報通信技術）の進歩は目覚ましく，社会全体でディジタル化とネットワーク化が進んでいる。さまざまな技術が応用されることで，私たちの生活はより豊かで快適なものになっている。

7-1-1　ディジタル化社会を支える技術

ディジタル化は，幅広い分野に広がっている。それらを支える応用技術について解説する。

[1] IoT

家電や各種センサなどをネットワークに接続して，データを取得したり，操作したりすることを **IoT**（Internet of Things）とよぶ。IoTは「モノのインターネット」ともよばれる。

身近なところでは，スマートフォンを使ってインターネット経由で自宅の鍵の開け閉めを行うスマートキーや，帰宅時間に合わせて室温が調整できるエアコンなどがある。[*1]

また，家庭で収集したデータを，インターネットを経由してクラウドサービス[*2]のサーバに記録する。部屋の温度センサであれば温度や湿度，ドアに取り付けられたセンサであれば人の出入りなどのデータが記録され，節電や遠隔監視，防犯などに応用される。

人のあらゆる行動をIoTセンサで取得し，記録を蓄積していくものを**ライフログ**とよぶ。たとえば，スマートウォッチなどのウェアラブル端末から，人間の心拍数や睡眠時間などの生体データを検出して，体調を管理する。また，スマートフォンの位置情報検出の記録から，過去に自分がどこにいたのかを日記のように振り返ることができる。

*1　家庭における IoTについては，7-4-3 を参照のこと。

*2　クラウドサービスについては，6-4を参照のこと。

[2] ビッグデータ

そのほか駅の改札での入出力記録や，レジでの商品購入の記録，GPSなどのセンサにより検出された記録，Webサイトへのアクセス履歴など，巨大なデータセットを**ビックデータ**とよぶ。ビッグデータは，現在の傾向をつかんだり，未来の予測を導いたりするものとして，可能性をもっている。各個人のライフログを集約したものもビッグデータの1つであるといえる。こうしたライフログを含め，別のデータと総合的に分析することで，新たな価値を生み出している。

[3] AI

　人間は，知覚により周囲の状況をとらえ，考察や判断などにより課題や問題を解決する。さまざまな考え方はあるが，コンピュータが人間と同様に判断や課題解決を行うしくみを，**人工知能**（AI：Artificial Intelligence）とよぶ。人間は課題解決を繰り返して学習するが，AIでも学習を深めることにより，判断や識別の精度を上げることができる。精度を上げるために，ビッグデータが使われる場面も多い。

　このAIを活用して，ユーザがコンピュータと対話して，サポートするアプリケーションがある。チャットボットでは，ユーザが問いかける言葉を認識し，学習データから回答を作成し，提示する。たとえば，企業や行政のWebサイトのサポートデスクとして利用されている（図7.1）。

　スマートフォンに搭載されている「Siri」などのバーチャルアシスタント機能やスマートスピーカは，音声認識を利用している。膨大な学習データとコンテンツ配信サービスを連携させることで，ユニークな回答をする。

■図7.1——AIを活用したアプリケーションの例
（Blue Planet Studio／Shutterstock.com）

　画像認識を利用したアプリケーションも多い。スマートフォンのロック解除では，顔認証や指紋認証が実現されている。入力された画像と，あらかじめ保存しておいた学習データとを照合し，本人の特徴をもっているかどうかを判断している。

　街角では，ATMや自動販売機などに，顧客の年齢層や性別を識別する機能が搭載され，マーケティングなどに応用されている。

　工場では，製品検査に応用されている。生産ラインに流れる製品を撮影し，製品に異常があるかを判断する。異常にいたる前に，製造装置や製品の状態を日ごろから収集し，装置の故障を予測する取り組みも行われている。

　社会インフラの老朽化の問題にも一役買っている。たとえば，道路の舗装や橋梁の点検では，これまで人の目視などで行われてきたが，画像による診断を行うことで大幅なコストと時間を削減できるようになり，より広範囲に劣化や損傷の点検が可能となった。

[4] 見える化

　IoTで収集されたデータやAIで導き出した結果を，リストや数値の羅列で表示するだけでは，一見して何を示しているのかわからないことが多い。そこで必要となるのが，データの性質や特徴を，ひと目でわかるようにする**見える化，可視化**である。図7.2は，家庭での電力消費量を見える化したスマートメータの例である。

■図7.2——スマートメータの例
（aslysun/Shutterstock.com）

　見える化では，データを整理し，グラフや地図，樹形図などをはじめとしたマルチメディアの要素を用いて，データを視覚的に表現する。このように表現された図表やダイヤグラムなどを，**インフォグラフィック**とよぶ。ビジネスや教育の現場で用いられるプレゼンテーションや，Webサイトで利用することで，直感的に，あるいは，正確に伝えることができる（図7.3）。

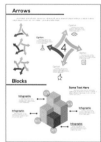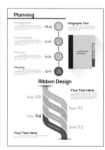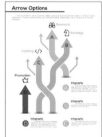

■図7.3——インフォグラフィックの例
（Andrew Krasovitckii/Shutterstock.com）

*3　VRやARについては，1-3-3を参照のこと。

　また，現実では想像しづらい状況を，VRで仮想空間に構築すれば見える化できる。[*3]たとえば，公共交通機関においては，事故や災害などが発生した場合に，それらの現場をVRで再現することで，より現実的な訓練や再発防止に役立てることができる。また，医療において，CTスキャンでとった臓器を反映させることで，病状を正確に把握し，精度の高い手術計画を立てることができる。VRの利用は，より効果的で効率的な知識の獲得につながっている。

　AR技術を利用した見える化では，スマートフォンのカメラで撮影すると，土砂災害のおそれがある場所に，危険度に応じて色分けされた3次元

CGが重畳されて表示されるシステムがある（図7.4）。また，ディスプレイモニタに投影された人に，衣服の画像データをリアルタイムで組み合わせるバーチャル試着システムなど，見える化のサービスが提供されている。

■図7.4——AR技術を利用した見える化の例
「ミエドキAR〜見える土砂災害警戒区域〜（広島県砂防課）」
（提供：中電技術コンサルタント株式会社）

このように，あらゆる場面でディジタル化が進んでおり，今後さらに加速していくと考えられる。ディジタル技術の活用による新たな商品やサービスの提供，新たなビジネスモデルの開発を通して，社会の制度や組織文化なども変革していくような取り組みを指す考え方は，**ディジタルトランスフォーメーション**（DX：Digital Transformation）とよばれている。[4]

*4　総務省「令和3年版 情報通信白書」より。

7-1-**2**　ディジタル化された社会

日本は，急速な少子高齢化や人口減少，社会インフラの老朽化，自然災害の激甚化など多くの課題を抱える。こうした課題に向き合い，持続可能な社会を実現するため，政府の指導のもと各自治体では**スマートシティ**構想を掲げている。そこでは，**ICT（情報通信技術）**を活用し，新たな価値を創造しつつ，都市や地域が抱える課題を解決し，1人ひとりが住みやすい街を目指している。

スマートシティにおいては，AIを駆使して，人手不足，交通難民／買い物難民，電力不足，食品ロスをはじめとするさまざまな分野の問題を官民共同で解決しようとする。これまでデータ化されていなかった情報を収集し，それを分析して，最適解を求める取り組みを進めている。たとえば，地域交通においては，バスロケーションシステム[5]や乗降客数の運行データを解析して，渋滞による遅延や乗客の混雑を軽減した運行ダイヤに改正したり，リアルタイムなニーズに合わせたデマンド型交通を講じたりすることができる。ここでも，新しい価値を生み出すためのDXが欠かせないものとなっている。

*5
バスロケーションシステムについては，8-2-2を参照のこと。

住民サービスでは，ディジタルデバイドの問題[6]を引き起こさないように，人的サポートを含め，あらゆる人にやさしいシステムの構築が前提であるとしている。

*6　ディジタルデバイドについては，9-3-1を参照のこと。

7-2
企業が進めるディジタル化

多くの企業でテレワークの導入が進み，オフィス勤務と異なる環境で仕事ができるようになった。こうした環境の構築には業務のディジタル化が不可欠である。ここでは，働く現場でのディジタル化について解説する。

7-2-1 テレワークの実施

テレワークとは，「tele＝離れたところで」と「work＝働く」を組み合わせた用語で，職場から離れた場所でもICTを活用して，職場のような作業環境で業務に取り組む勤務スタイルを指す[*7]。テレワークは，場所にとらわれず，空いた時間を有効に活用できる柔軟な働き方を実現したといえる[*8]。

*7 リモートワークなどともよばれる。

*8 総務省「令和3年通信利用動向調査」によると，企業のテレワーク導入率は51.9%と過半数に達した。

[1] 勤務形態

テレワークには，在宅勤務とモバイルワーク，サテライトオフィス勤務などの形態がある。**在宅勤務**は，自宅で日々の業務に取り組む形態である。通勤の負担が減り，育児・介護との両立がしやすく，ワークライフバランスを保てる働き方である。遠方でも仕事ができるため，たとえば，上京して勤務している若者が地元への移住を検討するなど，地域の活性化も期待される。

モバイルワークは，外出先で業務に取り組む形態である。移動中や営業先での時間を活用して作業できるため効率的であり，直行直帰ができるなどの利点があることから，営業職などに有用である。

サテライトオフィス勤務は，勤務先以外のオフィスや施設を利用して業務に取り組む形態である。通勤時間やオフィスのコストの削減に効果的である。

[2] テレワークの課題

テレワークは，さまざまな利点がある一方で，本来の勤務場所ではない場所で業務に取り組むことによる欠点も抱えている。社員どうしのコミュニケーションが希薄化しがちになり，在宅勤務ではプライベートとの切り替えが難しいといった課題もある。また外部から社内のサーバやファイルにアクセスすることから，セキュリティ面における情報漏えいのおそれがある。

[3] セキュリティ対策

テレワーク勤務における情報漏えいを防ぐため，さまざまな対策が行われている。

たとえば，自宅から会社のサーバにインターネットを経由してアクセスする場合，データを安全にやりとりするために，許可されたユーザだけがアクセスできるプライベートネットワークを仮想的に構築して利用する。この技術を，**VPN**（Virtual Private Network：仮想専用線）とよぶ（図7.5）。

テレワークでは，VPNソフトやWebブラウザを介して社内外のネットワークに接続することが多く，低コストな運用が可能である。ただし，社外からの接続を安易に認めれば，セキュリティリスクを高めることになる。端末の盗難やなりすましによる情報漏えいを防ぐために，ワンタイムパスワードを使った二要素認証（多要素認証）や，端末のデータ暗号化などのセキュリティ対策が前提となる。^{*9}

＊9　認証については9-1-3を，セキュリティについては，9-2を参照のこと。

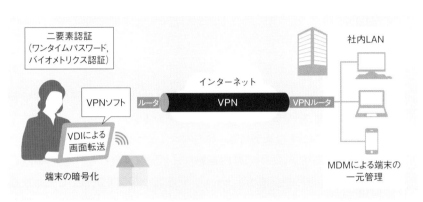

■図7.5——テレワークにおけるセキュリティ対策

　たとえ許可されたユーザがVPNで社内LANに接続したとしても，データの持ち出しやマルウェア感染などのセキュリティリスクが考えられる。こうしたセキュリティ対策として，**VDI**（Virtual Desktop Infrastructure）の利用がある。VDIはデスクトップの仮想化であり，^{*10}サーバ上のデスクトップ環境を，社外に持ち出した端末に画面転送して利用する。そのため，端末にデータを残さない。異なる複数端末からいつでも社内の同じユーザ環境にアクセスができるという利便性をもつ。

＊10 仮想化については，3-3-2を参照のこと。

　モバイルデバイス管理（MDM：Mobile Device Management）は，タブレットやスマートフォンなどの端末を遠隔操作で管理・監視するしくみである。従業員へ支給した端末を一元管理することでセキュリティ対策を行う。たとえば支給した端末が紛失や盗難にあった場合に，位置情報の確認や，遠隔からの画面のロック操作やデータ削除が可能である。

7-2-2　業務のディジタル化

　オンラインで業務を完結させるためには，業務をディジタル化し，かつネットワーク上でやりとりできるようにする必要がある。すべての紙の書類をディジタル化してペーパレス化を進めるとともに，電子署名や電子印鑑を使った承認ワークフローへの移行，情報共有のためのグループウェアやオンラインストレージの活用が求められている。

[1] リモート会議

　テレワークの勤務形態を採用する企業では，人と人とが時間と場所を共有する会議などの対面によるコミュニケーションから，ビジネスチャットや電

■図7.6──Web会議の例「Zoom」

子掲示板，Web会議などを利用したネットワーク上でのコミュニケーション中心へと変化している。社内外のミーティングにおいては，場所を選ばず参加できる**リモート会議**が活用されている。**Web会議やオンライン会議**ともよばれる（図7.6）。社員どうしのコミュニケーションでの利用や，営業活動をオンライン商談に切り替えるなど，多くの企業で取り入れられている。

[2] グループウェア

　業務を支援するサービスをパッケージ化したものが**グループウェア**である。クラウドサービスを利用する企業が増えている。

　グループウェアのおもな機能には，社内のコミュニケーションを目的としたビジネスチャットや電子メール，社内連絡などの広報機能をもつ電子掲示板，予定の管理や共有が可能なスケジュール，稟議書の起票や決済といった承認ワークフローなどがある。グループウェアの利用は，業務の効率化と迅速な意思決定に役立てられている（図7.7）。

　社内で扱われる文書は，どんな勤務形態であってもアクセスできるように，ファイルサーバに保存されることが必須である。グループウェアと連携したオンラインストレージ[11]のサービスが活用されることが多い。

*11 オンラインストレージについては，5-3-2を参照のこと。

■図7.7──グループウェアの例「Microsoft 365」

*12 代表的なサービスには「Chatwork」や「LINE WORKS」，「Microsoft Teams」などがある。

[3] ビジネスチャット

■図7.8──ビジネスチャットの例「Slack」
（Slack is a trademark and service mark of Slack Technologies, Inc.,registered in the U.S. and in other countries. Copyright 2019 Slack Technologies, Inc.）

　企業における社員どうしのコミュニケーションや情報の共有を目的として，**ビジネスチャット**[12]が利用されている（図7.8）。メッセージをやりとりするところからSNSに近い。ビジネスチャットの特徴は，プロジェクトなどの業務内容や組織でグループを構成し，そのグループに参加するメンバーどうしでリアルタイムにやりとりができることである。必要な情報のみを簡潔にやりとりできるため，業務の効率化につながる。音声やビデオを利用した通話やオンライン会議に展開することもでき，電

子メールを含め, 状況に応じてコミュニケーションツールを選択するユニファイド・コミュニケーションが重要となっている。

[4] RPA

RPA (Robotic Process Automation) は, これまで人が行ってきた作業を, コンピュータ上でソフトウェアロボットを用いて模倣し, 自動化するしくみである。繰り返し行われる定型的な作業に, RPAを利用することが多い。

たとえば, 顧客管理システムから訪問する顧客を抽出する場合を考える。従来では, 営業担当者が見込みのある顧客を選び, 顧客データベースから氏名や住所などのテキスト情報を表計算ソフトなどに転記して, 訪問先リストを作成する。RPAを利用する場合, あらかじめ指定した条件をもとに, RPAのソフトウェアが顧客管理システムから訪問する顧客を抽出し, 表計算ソフト上でのメニューの選択や, 転記の操作などを順に行い, 訪問先リストの作成までを一括して代行する。判断・確認の作業工数やGUIの反復操作を大幅に削減できるため, バックオフィス業務の効率化を図ることができる (図7.9)。文字認識 (OCR) ソフトと連携させて, 紙の伝票を対象としたデータ入力や集計などにも効果を発揮できる。

*13 GUIについては, 1-3-2を参照のこと。

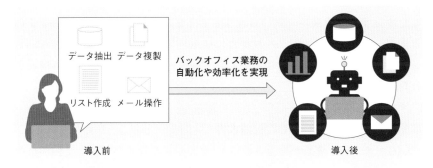

■図7.9——RPAの利用

[5] BIツール

BI (Business Intelligence) は, 多様なデータを分析して見える化し, 経営判断や業務に役立てるソフトウェアである。商品・サービスの売上分析や, 故障・クレームなどのリアルタイム多次元分析, 過去のデータから, 予算や売り上げをさまざまな条件別に予測するプランニング機能などがある。BIを用いて分析した経営データは, 精度の高い経営判断に活用できる。

表計算ソフトとの大きな違いは, ビッグデータを扱うことに特化することである。複数のデータベース (DB) から特定データの収集や分析用にまとめたデータウェアハウス (DWH) を利用すると取り扱いやすい。

データ活用の課題として, データ資産への投資や, データ分析をビジネス課題の解決に役立てる人材の確保などがあげられる。企業がもつ情報がディジタル化, さらにはデータベース化されたことにより, こうしたツールによる分析が可能になってきている。

7-3
教育のディジタル化

教育分野でもディジタル化が進展している。オンライン授業，ペーパーレスのディジタル教科書，e-ラーニングなどのディジタル学習ツールの活用が求められている。さらに，収集した教育データを教育分野のプラットフォーム間で連携することで，生涯にわたり学べるしくみを整備しようという動きが出ている。

7-3-1　学校のディジタル化

　義務教育分野を中心とした「個別最適な学び」と「協働的な学び」を実現するために，GIGA スクール構想による各教室へのインターネット環境の整備および，1人1台のディジタル端末の配布が進められた。ICT活用能力の育成とともに，「いつでも・どこからでも・誰とでも・自分らしい」学びを深められる教育が始まっている。

　感染症の防止対策を発端に，ほぼすべての学校に影響を及ぼした一斉休校は，対面と紙を前提とした授業形態を一新し，テレビ会議システムを活用した**オンライン授業**が一気に普及することとなった。従来の教科書をそのままデータ化したディジタル教科書に加え，授業はライブ配信で行われ，コンテンツは，動画や資料を中心としたデータ配信が可能な内容に再構成された。

　オンライン授業は，災害時なども含む休校や，不登校による欠席などの，個々の児童・生徒の状況に応じた遠隔教育にも対応できることが期待される。

　GIGA スクール構想が推進されると，ディジタル端末を活用して個別に教材を配信できるようになり，学習レベルや状況に合わせた教育が実現する。2024年から小学校5年生〜中学校3年生の英語で，紙の教科書と併用して，ディジタル教科書の導入が予定されている。音声を用いた，発音の効果的な学習が期待される[15]（図7.10）。

*14 文部科学省が提唱する，すべての児童や生徒にグローバルで革新的な教育機会の提供を目指す取り組み。「Global and Innovation Gateway for All」。

*15 ディジタル端末の活用により，テストの採点や資料準備といった事務作業の省力化や自動化ができるため，教員の働き方改革にもつながる。校務のシステム化も段階的に進められ，教員の負担削減や，保護者とのコミュニケーションに活用できると期待されている。

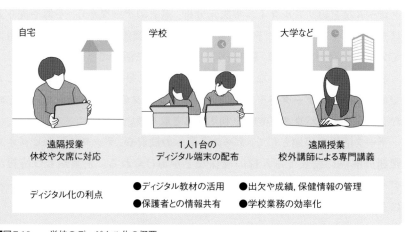

■図7.10——学校のディジタル化の概要

chapter 7

3-1

教育のディジタル化

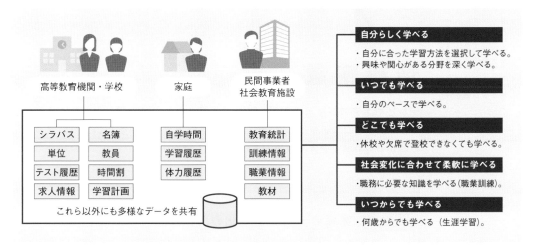

自分らしく学べる
・自分に合った学習方法を選択して学べる。
・興味や関心がある分野を深く学べる。

いつでも学べる
・自分のペースで学べる。

どこでも学べる
・休校や欠席で登校できなくても学べる。

社会変化に合わせて柔軟に学べる
・職務に必要な知識を学べる(職業訓練)。

いつからでも学べる
・何歳からでも学べる(生涯学習)。

高等教育機関・学校 / 家庭 / 民間事業者 社会教育施設

シラバス / 名簿 / 自学時間 / 教育統計
単位 / 教員 / 学習履歴 / 訓練情報
テスト履歴 / 時間割 / 体力履歴 / 職業情報
求人情報 / 学習計画 / / 教材

これら以外にも多様なデータを共有

■図7.11——教育データの活用による学習支援(デジタル庁「教育データ利活用ロードマップ」を参照)

また，授業や生徒の学習の過程で取得した教育データを使用し，1人ひとりが自分らしく学べるしくみを整備することも重要である。具体的には，子どもが学習に使用するディジタル端末から収集したデータなどを，学校や自治体間で共有し，家庭や民間スクールが連携して教育を支援する体制づくりが必要である(図7.11)。

7-3-2　オンライン学習

　情報技術を用いて行う学習の総称を，**eラーニング**とよぶ。インターネットやイントラネットなどのインフラと，学習管理や**ディジタル教科書**などの教材作成，成績管理などを行う**LMS**(Learning Management System)によって構成される。LMSは学習管理システムで，受講者や教材の登録・管理，教材作成，受講コースの作成・管理，学習履歴・成績管理，自動採点，アンケート，チャット・掲示板，ワークショップ，学習コンテンツの共有や再利用などができる(図7.12)。受講者の学習効果を高める環境を提供し，講師が個別指導に生かすことも可能である。

　eラーニングの特徴は，場所を問わず好きなときに学習できることである。一度コンテンツをつくれば，何度でも何人にでも，その講座を提供することができる。こうした特徴から，学校だけでなく，IT関連の資格取得講座などで活用されている。企業の社内教育システムなどでも積極的に採用されており，社員教育の効率化とコスト削減に大きく寄与している。

　たとえば，オンライン学習でエンジニア系のICTスキルを身に付けることができる「Udemy Business」というサービスがある。LMSのデータを契約先企業と連携して活用することにより，その企業に所属する社員へのスキルアップの機会を提供したり，企業の求める人材に合わせた計画的な人材育成を支援したりすることもできる。

・教材登録・教材作成
・教材管理・学習履歴
・自動採点・成績管理
講師
LMS
受講者　受講者　受講者

■図7.12——eラーニングを実現したLMS

7-4

情報家電

テレビやエアコンなどの家電，時計やメガネなどの身の回りのあらゆるモノを
ネットワークにつなぐことで，新たな価値を生み出している。ここでは，こうした
家庭におけるディジタル製品の変化について解説する。

7-4-1 家電のディジタル化の歴史

　情報家電という用語は，比較的古くから使用されてきた。1980年代には
ワープロやファクシミリが登場し，これらは一家に1台普及するのではない
かと思われていたが，1990年代にPCが登場し，1995年以降にインター
ネットが普及したことにより，こうした情報家電の機能が，メールソフトや
ワープロソフトなどのアプリケーションソフトに代替されていった。

　2000年代には，新たな情報家電が続々と登場する。具体的には，ディジ
タルデータとして写真を記録する「ディジタルカメラ」，テレビ番組をディジ
タルデータとしてHDDやDVD，Blu-ray Discに記録する「ディジタルビデ
オレコーダ」，地上ディジタル放送に対応した「薄型テレビ」などである。ま
た，ディジタル化した音楽をフラッシュメモリに保存して再生する携帯音楽
プレーヤが普及し，ディジタル化した書籍を表示する電子書籍端末も大き
な注目を集めた。写真や映像，音楽，書籍などのコンテンツがディジタルに
移行したことで，大量のコンテンツを保存することが可能となり，ネット
ワークを経由したデータのやりとりが容易となった。

　やがてインターネットの通信速度が向上し，大容量データを高速に扱え
るようになると，ディジタルカメラや音楽プレーヤなどの特定の機能に絞っ
た機器は，スマートフォンにその機能が搭載され，多くの場面でスマート
フォンに置き換わった。

　また，インターネット上のサーバにコンテンツを保存して，さまざまな端
末からどこからでもアクセスできるようになり，ユーザの利便性が向上し
た。とくに，動画コンテンツの配信サービスが広まり，ネットワークを経由し
てユーザ間，機器間で，コンテンツを共有するといったことが実現している。

7-4-2 ホームネットワーク

　インターネットが家庭に普及した当初，ネットワークに接続できるものは
おもにPCであったが，現在では，テレビやディジタルビデオレコーダ，各種
オーディオ機器，家庭用ゲーム機など，さまざまな機器が接続されるように
なった（図7.13）。

　これにより，インターネット上で配信されるコンテンツを楽しむことがで

きるようになった。テレビやディジタルビデオレコーダでは，動画配信サービスに投稿された動画を再生したり，コンテンツ配信サービスを利用して映画やテレビ番組を視聴したりできる。データ放送や電子番組表(EPG)も充実している。[*16]

オーディオ機器では，音楽配信コンテンツの音楽の再生やインターネットラジオを楽しむことができる。家庭用ゲーム機では，新しいゲームソフトをダウンロードしたり，オンライン上で複数のプレーヤとゲームで遊んだりすることができる。

また，機器間の連携による利点がある。たとえば，**DLNA**(Digital Living Network Alliance)に対応したテレビとディジタルビデオレコーダがあれば，リビングのディジタルビデオレコーダで録画した番組を，別の部屋のテレビで視聴することができる。ネットワークに接続できるハードディスク(NAS)を利用してホームサーバとすることで，写真，音楽，映像などのコンテンツを大量に保存しておくことが可能になり，場所や時間を選ばずにコンテンツを楽しむことができる。

ホームサーバに保存された映像をテレビで再生したり，写真をPCで閲覧したり，音楽をオーディオ機器で流したりできる。外出先からスマートフォンやPCを使って，これらのコンテンツにアクセスすることもできる。

*16 地上ディジタル放送の機能については、8-1-3を参照のこと。

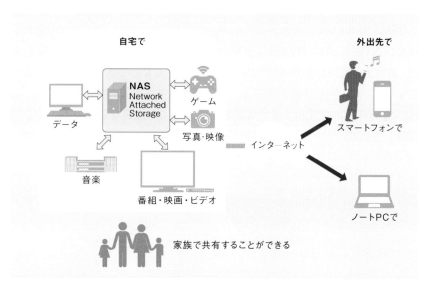

■図7.13──ホームネットワークのしくみ

7-4-3　家庭におけるIoT

家庭においても，従来よりホームオートメーションやスマートハウスなどとよばれていた分野でIoTが活用されている。これまで情報化とは無縁であった冷蔵庫，電子レンジ，エアコン，照明器具などは，スマートフォンを使って遠隔で操作できるようにネットワーク接続への対応が進んでいる。また，ネットワークに直接接続できない機器であっても，赤外線リモコンでの操作ができる機器であれば，スマートリモコンを使って，リモート操作ができる。

照明のオン／オフや空調のコントロールは，スマートフォンを使ってできるほか，スマートスピーカから音声で操作できる。監視カメラの映像を，外出先などから遠隔で確認し，ペットやひとり暮らしの高齢者のケアに利用する（図7.14）。食材の在庫がわかる冷蔵庫や，ダウンロードしたレシピに応じて調理できる電子レンジなど，新しい家電の機能がつぎつぎに登場している。

■図7.14——PCやスマートフォンによる家電の管理の例「ホームアプリ」（©Apple Japan, Inc.）

　HEMS（Home Energy Management System）の実用化に向けた取り組みも進められている（図7.15）。HEMSは家庭内で利用される電力をはじめ，太陽光発電，蓄電池，電気自動車の電力量を見える化するものであり，節電を目的としている。あらゆる装置や機器を一元管理することで，時間帯による電力会社の電気料金の変化や，発電や蓄電の状態から，最適な制御を行うことを目指している。

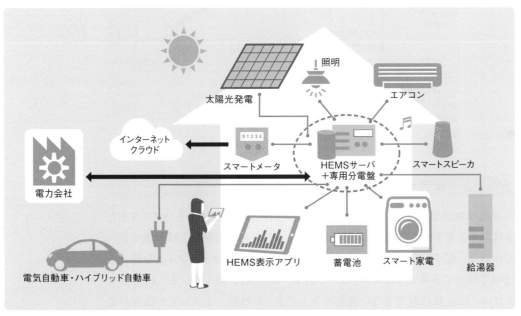

■図7.15——HEMSのしくみ

chapter 8

社会に広がる
マルチメディア

日常生活の至るところに遍在するネットワークやコンピュータは私たちの生活を豊かで便利なものにしてくれるだけでなく，創造的な活動のための一助ともなっている。ここでは，人が生活するうえで必ず接点をもつであろう分野のマルチメディアについて解説する。

8-1

放送（ブロードキャスト）

従来，ユーザは地上波テレビ放送を中心に，映像や音声コンテンツを受信してきた。ディジタル技術やインターネット通信技術の向上により，オンデマンドによる動画配信サービスが拡大し，ユーザの視聴スタイルは大きく変化した。放送においても，インターネットで番組コンテンツを視聴できるサービスが提供されている。ここでは，テレビ放送を中心に，放送の特徴について解説する。

8-1-1　放送とは

放送は「公衆によって直接受信されることを目的とする電気通信の送信」と放送法第2条で定義されている。電波法の規定に基づいて総務省から放送免許を取得した放送事業者が，特定の周波数帯の電波を利用してテレビやラジオを通して多くのユーザに向けてコンテンツを送信するものである。

テレビ放送（地上ディジタル放送に代表される地上波放送や，BS，CSなどの衛星放送，ケーブルテレビの有線放送，インターネットテレビなどのIP放送[*1]）とラジオ放送の放送メディアにより，多くのユーザが直接同時に，映像や音声などのコンテンツを受信している。こうした1対不特定多数の通信方式は，**ブロードキャスト**とよばれる。

放送は「放送を公共の福祉に適合するように規律し，その健全な発達を図ることを目的とする」と放送法第1条で定義されている。電波は限りのある希少な資源で利用には制限があり，また放送メディアは全国の多くの人に一律に情報を発信することから，その内容が社会に与える影響は大きい。

許認可を受けた放送事業者には，高い公共性が求められる。そのため放送事業者は，事業の運営ならびに配信コンテンツの内容を規定する放送法や，通信設備や通信方式，配信地域などの機器やシステムについて規定する電波法，電気通信事業法などにより規制を受けている。また，放送事業者が独自に放送内容を規定する放送基準や，放送倫理などに基づいた行動義務が課されている。

8-1-2　地上ディジタル放送の特徴

地上波テレビ放送は，テレビ局が作成した番組データを東京スカイツリーなどの電波塔（アンテナ）から電波として送信し，それを受信したテレビなどで視聴するしくみである。そのためインターネットの動画配信サービス[*2]のように，アクセスの集中によりサーバがダウンして映らなくなってしまう，といったことが起こらない。電波は常時アンテナから送られており，テレビのスイッチを入れるだけで番組が取得できる。

地上波テレビ放送は，国内でテレビ放送が開始された1953年以来，カ

*1　IP放送はFTTHを利用してテレビ放送を視聴するサービスである。1対特定多数で通信するしくみであり，マルチキャストとよばれる。マルチキャストは通信のしくみを利用するが，放送関連の法律では広義の放送の1つ（電気通信役務利用放送法に基づく送信業務）として位置づけられている。また，1対1で通信するしくみをユニキャストとよび，インターネットなどの通信網を経由してコンテンツを送信する。「YouTube」，「Netflix」などの動画配信サービスでこの方式が採用されている。IP放送には，「ひかりTV」，「フレッツ・テレビ」などがある。

*2　インターネットの動画配信サービスについては，6-5-2を参照のこと。

ラー化，ハイビジョン化など進化を続けてきた。2011年には地上波放送で利用されていた映像信号がアナログからディジタルに切り替わり，**地上ディジタル放送**に移行した。映像はMPEG-2形式で圧縮されたデータが電波によって搬送され，それをテレビや地上ディジタルチューナが受信し，映像を再生するというしくみである。

ディジタル化の技術により，アナログ放送ではテレビやラジオそれぞれの通信経路を通じてしか扱うことができなかった情報が，ディジタルデータとして扱われるようになった。アナログ放送が1チャンネルあたりに占有していた帯域と同じ電波の占有帯域で，ハイビジョン放送1番組，またはSD（標準画質）の放送を同時に3番組放送することができる[*3]。このしくみを利用して，たとえば番組終了時間までにスポーツの試合が終わらない場合に，2番組分はつぎの別の番組の放送に利用して，残りの1番組分はスポーツ中継を続行して放送する，などといったことが行われている（図8.1）。

*3　地上ディジタル放送は，利用する電波の周波数帯が従来のVHF帯からUHF帯へと変更された。電波を有効に利用するため，現在，VHF帯の新たな用途が検討されている。

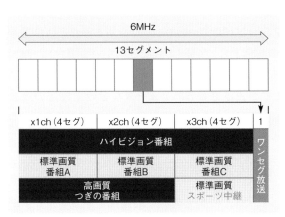

■図8.1──1チャンネルあたりの放送帯域の利用

ディジタル放送の**ハイビジョン**とよばれる画質では，1,080本（1080i）の走査線で構成された映像の放送が可能である。一般に画面の横と縦の比率は16：9で，画素数は1,920×1,080の約200万（2K）画素である。さらに，ハイビジョンを超える高画質の規格には**4K**や**8K**がある[*4]。高精細な映像によって，より迫力と臨場感が味わえるようになった。4Kはハイビジョンの画素数の4倍，8Kは16倍に相当する。

*4　2018年12月にBSディジタル放送と110度CSディジタル放送で4K実用放送が開始された。地上ディジタル放送においても4Kの放送の取り組みが進められている。

8-1-3　地上ディジタル放送の機能

地上ディジタル放送の機能として，**データ放送**があげられる。データ放送は，映像や音声と同時に，天気予報や最新のニュースなどの情報をつねに画面上に表示できる（図8.2）。放送中の番組では，番組内で実施されたクイズやアンケートに，視聴者がリモコンのボタンから回答できる。またテレビ番組とスマートフォンなどの端末を連携させ，アンケートに回答して，その結果で内容が変わるなど，インタラクティブな操作による参加型の番組が提供されている[*5]。

*5　インタラクティブについては，1-3-1を参照のこと。

chapter

8

1-3

放送（ブロードキャスト）

149

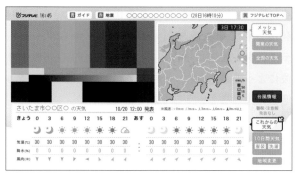

■図8.2——データ放送画面の例（提供：株式会社フジテレビジョン）

　電子番組表（EPG）は，電波やインターネットを経由して番組表を受け取り，テレビ画面に表示される。新聞のテレビ欄を参照することなく，放送予定の番組の確認や，視聴予約ができる。

　また，おもに聴覚に障がいのあるユーザや，音声が聞こえにくい場合に利用できる**クローズドキャプション**（CC：Closed Captioning）がある。これは電子番組表内や放送中の番組の画面上に「字幕」と表記されている場合に，画面上に文字情報を表示できるものである。ナレーションや会話の文字表記，話者の名前，BGMの情報などが表示される。ニュースなどの生放送の場合は，映像から若干遅れて話し手が伝えた文字情報が表示される。

8-1-4　放送によるインターネットの利用

　インターネットを利用して，過去の放送番組を動画配信するサービスが放送事業者によって提供されている。

　たとえば，民放各局による民放公式テレビポータル「TVer」や，テレビ局が独自に放送番組を配信するオンデマンドサービスである。これらのサービスでは，放送後の番組が期間限定で視聴できる。また過去のドラマやバラエティ番組などが，有料で配信されるものもある。

　放送番組はリアルタイムで視聴しなければならないが，ユーザは見たい番組を必ず視聴できるとは限らず，ビデオレコーダなどで録画する必要があった。インターネットを利用した動画配信サービスは，ユーザが見たいときに番組を視聴できる利点があり，インターネット上で放送番組を視聴するスタイルに変化してきている。

　また現在，リアルタイムで放送中の番組を，同時にインターネットで配信する取り組みも行われている。

■補足1——ラジオ放送のサービス

ラジオ放送のサービスには，Webブラウザやアプリで放送中のラジオ番組を聴くことができる「radiko（ラジコ）」がある。国内各地で放送される番組をリアルタイムに聴くことができる「エリアフリー」や，放送後の番組を期間限定で好きな時間に聴くことができる「タイムフリー」に対応している。一般に，番組の放送後に，ユーザが好きな時間に視聴することを，タイムシフトとよぶ。

8-2

暮らしと生活

マルチメディアは日常生活においても人に情報をもたらし行動を支援する。ここでは，ディジタルとネットワーク技術の向上によって登場した，暮らしと生活における新たなサービスについて解説する。

8-2-1 ICカード

ICカードにはICチップが埋め込まれている。磁気カードは書き込まれたデータが不正行為によって読み取られてしまうおそれが高いが，それに比べてICチップに情報を書き込むICカードは，情報を読み取られたり改ざんされたりするリスクが低いとされ，安全性が格段に上がるといわれている。定期券，クレジットカード，マイナンバーカード，電子マネーなど，あらゆる用途で利用されている。

[1] ICカードのしくみ

ICカードは，接触型と非接触型に分類される。図8.3に各ICカードのしくみを示す。

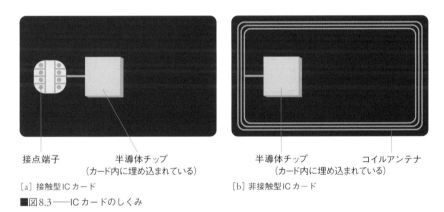

接点端子　　　半導体チップ
　　　　　　（カード内に埋め込まれている）

[a] 接触型ICカード

半導体チップ　　　　　　コイルアンテナ
（カード内に埋め込まれている）

[b] 非接触型ICカード

■図8.3——ICカードのしくみ

銀行が発行するキャッシュカードやクレジットカード会社が発行するクレジットカード[*6]，高速道路のETCで利用されるカードには [a] の**接触型ICカード**が採用されている。ICモジュールとよばれる端子が付いており，キャッシュカードの表面に見える1cm角程度の金色に輝く領域がこれにあたる。ICモジュールは，ICチップを格納する部分であると同時に電極になっており，ICカードリーダ／ライタとの接点の役割も果たしている。そのため，ATMやETC車載器などの機器に「挿し込む」ことでICカードリーダ／ライタとの情報のやりとりが行われるしくみである。[*7]

一方，一般に定期券や電子マネーに利用されているICカードは，[b] の**非接触型ICカード**[*8]である。ユーザはICカードリーダ／ライタに"かざして"

*6　従来，銀行業界ではキャッシュカードに磁気カードを採用していたが，カードを盗んで磁気データを特殊な装置により読み取り，別途用意した磁気カードに複製して，そのカードで不正に現金を引き出すスキミングとよばれる犯罪が多発した。現在，クレジットカードの不正使用を防ぐことを目的に，クレジットカード決済端末のIC対応が義務づけられている。

*7　ICカードの仕様は，EMVとよばれるものが広く普及している。

*8　電子マネーや非接触型ICカードの利用例については，6-2-2を参照のこと。

利用する。接触型が端子とICカードリーダ／ライタとを直接接触して情報をやりとりするのに対し，非接触型では，ICチップ内に埋め込まれたコイルアンテナを経由して電波で情報をやりとりする。

また，10cm程度の近距離での通信を可能とする無線通信技術の1つに**近距離無線通信**（NFC：Near Field Communication）がある。非接触型ICカードの通信および，NFC対応機器どうしの相互通信が可能で，ICカードや機器を近づけることで，さまざまな情報のやりとりができる。[*9]

[2] ICタグ

さまざまなデータを格納した数ミリ程度の**ICチップ**と，データを送受信するためのアンテナを内蔵したタグのことを**ICタグ**とよぶ。無線ICタグまたはRFIDタグともよばれる。専用のリーダ／ライタを使用してデータを読み書きすることで，タグが付けられた物品を自動で管理できる。当初，ICタグは従来のバーコードに代わる商品管理技術として考案されたが，データを繰り返し書き込める，同時に複数のタグにアクセスできる，汚れや遮へい物に強いなどの特徴があるため，さまざまな応用が考えられている。

ICタグの応用例には，小売業界のセルフレジがある。店舗における買い物では，ユーザは商品を選んで会計を行う。レジでは，従業員が商品のバーコードを1点ずつスキャンして会計を行うものが多数である。この場合，レジの台数やレジ係の人数によっては会計待ちの顧客で行列ができ，不満の原因となっていた。また近年導入が進んでいる，顧客自身が商品のバーコードをスキャンして登録するセルフレジも，混雑緩和には利点があるが，扱いに不慣れな顧客への対応が求められる。

上記の課題を解決するものとしてICタグによるセルフレジでは，商品1点ごとに取り付けたICタグを一括で読み取ることで，レジ係と顧客の会計時の手間を解消することができる。また，このしくみにより，店舗側には会計時の登録ミスや万引きの防止，さらには，棚卸しの手間も大幅に削減できるようになった（図8.4）。

ICタグは購入時の自動計算だけでなく，生産者または製造者と消費者双方にとって大きな利点のある技術基盤といえる。しかし，現時点では商品の種類による読み取り時のエラーなどの問題もあり，業界全体への普及には至っていない。また，ICタグは管理する物品や商品に1つずつ取り付ける必要がある。品数が多かったり，頻繁に情報の更新が必要となる場合には，時間と手間がかかるため，その分コストも高くなることに留意しなければならない。

■図8.4——ICタグの応用例
専用のリーダでICタグが付いた商品をかざすだけで棚卸しができる。

*9　ソニーが開発した「FeliCa」は，NFCの規格の1つであるType-Fに属する。FeliCaが搭載されたディジタル端末でなければ「おサイフケータイ」などのFeliCa用のスマホアプリを利用することはできない。このため，日本で販売されているスマートフォンにおいては，NFCとFeliCaの両方に対応する機種が多い。

8-2-**2**　トラッキング

　さまざまなモノや人の所在や，移動経路を知りたいという要求に応える
ため，トラッキング（追跡）の技術が発達してきた。古くは海運会社が発行
する船荷証券という貨物引換証をもとにして，荷物がどこから出港したの
かが把握されてきたが，個人間輸送が発展し，宅配便が普及するにともな
い，荷物追跡サービスが登場した。出荷の各段階をITシステムで管理し，
モバイルネットワークを活用して，リアルタイムに近い感覚で各荷物の所
在地や，いつ頃届くのかを知ることができるようになった。

　輸送や配達における所在を，経由地の場所の把握ではなく，移動してい
る途中の地図情報として取得できるようになったのは，GPS[*10]の存在が大き
い。時刻表どおりに正確な時間管理ができる鉄道に比べ，公共バスの運行
などは，道路事情や渋滞に左右される。乗客は，到着までの待ち時間が読み
づらいため不便を感じていた。これを解消するため，車体にGPSを取り付
けたバスが，いまどこを走っているのか，あと何分くらいで到着するのかを
停留所で表示するバスロケーションシステムがある。スマホアプリと連携
することで，バスの現在地や到着時刻が，乗客の手元で確認できるサービス
が提供されている（図8.5）。

*10 GPSについては，8-3-1を参照のこと。

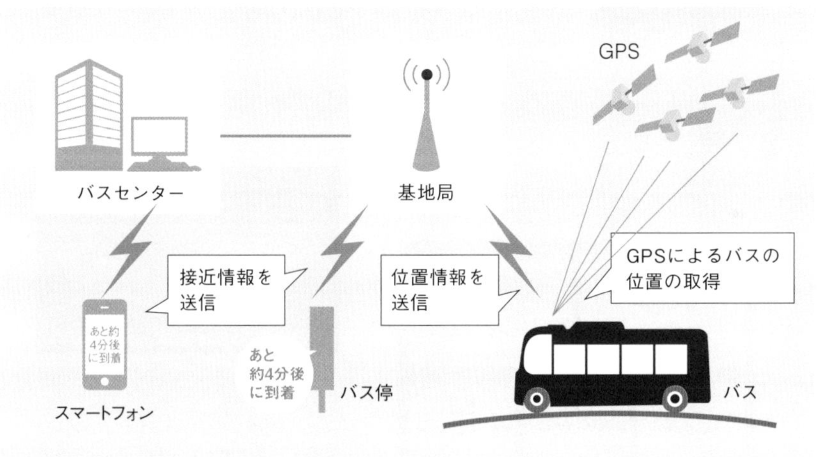

■図8.5──トラッキングの例
（出典：国土交通省Webサイトを加工して作成）
https://www.mlit.go.jp/jidosha/sesaku/koukyo/bus_loca/bus_loca.htm

　GPSで移動経路や活動量を測れるようになったものには，人も当てはま
る。サッカーやラグビーなどの屋外競技では，GPSを搭載したベストなど
を装着し，各選手のリアルタイムの位置や活動量，そのプレーの価値を，戦
術に基づいて計測するシステムも登場している。

　スマートフォンが普及し各種無線基地局などが散在する現代では，GPS
に依存しないトラッキング技術も発展しており，落とし物などの屋内での位
置情報の把握なども可能になっている。しかし，位置情報を不正に入手す
ることでの被害なども考えられることから，トラッキング技術についてもい
くつかの課題を抱えている。

chapter

8

2-2

暮らしと生活

153

8-2-**3** 街角のマルチメディア

　マルチメディアステーションは，コンビニエンスストアや市役所などに設置されている，タッチパネル式の操作画面を備えた情報端末のことである。**キオスク端末**ともよばれる。図8.6にマルチメディアステーションの例を示す。画面の指示に従いながら操作することで，ディジタルコンテンツやチケット，商品の購入や公共料金の支払いなどができる。また機種によっては，コピー／プリンタ機と連携して，ディジタルカメラの写真データをプリントできるものもある。このような機種は，ディジタルカメラとデータをやりとりするための赤外線ポートを備え，メモリカードスロット，光学メディアなどの各種メディアに対応している。

　マルチメディアステーションは，航空会社の自動チェックインサービスや，自治体の行政サービスなどにも利用されている。一部の市区町村においては，マイナンバーカードを利用して住民票の写しや印鑑登録証明書などの各種証明書を取得できる。また学校では，卒業証明書や成績証明書などの各種証明書を，マルチメディアステーションから発行できる。

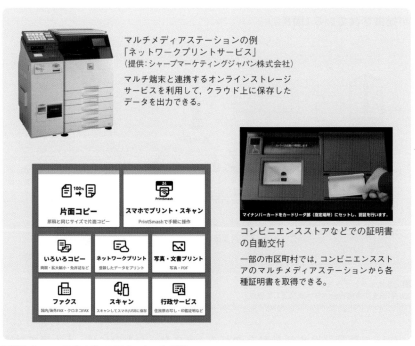

■図8.6——マルチメディアステーションの例

　マルチメディアステーションを利用したサービスには，クラウド上のオンラインストレージに保存したファイルを，全国各地のコンビニエンスストアなどにあるマルチメディアステーションから出力できるものがある。たとえばビジネスにおいては，リモート勤務時に大量に出力が必要な場合や，外出先や出張先で出力しなければならないときに，オフィスのプリンタのように利用できる。

8-3
交通

道路や車両といった交通インフラにおいてもマルチメディアは大きな役目を果たしている。事故や渋滞などの問題を解決し，安全，安心，快適な移動を実現するシステムの構築が実現しようとしている。ここでは，交通におけるマルチメディアの応用例について解説する。

8-3-1　カーナビゲーションシステム（カーナビ）

後述するGPS，車速パルス（エンジンを制御する車載コンピュータなどから出る車速信号），ジャイロ（クルマの向かっている方向や方角を検知するための装置）といった自律航法装置を用いて，自動車の運転者に対し，ディスプレイ画面上に表示された地図や音声で現在位置や目的地への走行経路案内を行う電子機器のことを**カーナビゲーションシステム（カーナビ）**とよぶ。

[1] GPSのしくみ

人工衛星の一種である航法衛星から発信された電波を受信機で受信し，自身の位置や進路を把握する衛星航法を実現するシステムを**GNSS**[*11]（Global Navigation Satellite System）とよぶ。日本国内においては一般に**GPS**（Global Positioning System）とよばれる。図8.7に示すように，上空約2万kmを周回する複数のGPS衛星と，GPS衛星の管制を行う基地局，衛星から電波を得て測位を行うためのGPS受信機（カーナビなど）からなる全体のシステムをGPSとよんでいる。GPS衛星からの電波を利用し，緯度，経度，高度などを十数メートルの精度で割り出すことができる。

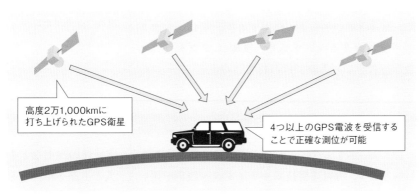

高度2万1,000kmに打ち上げられたGPS衛星

4つ以上のGPS電波を受信することで正確な測位が可能

■図8.7——GPSによる位置情報の把握

[2] カーナビ

1980年代にカーナビ（カーナビゲーション）がはじめて登場してから，GPSや車速パルス，ジャイロなど複数の測位／計測システムを併用することで，航法精度を上げてきた。記憶メディアも，情報技術の進化とともに，光

*11 米国のGPSや，ロシアのGLONASS，ヨーロッパのGalileo，中国の北斗など，GPSなどのシステムを総称している。GPSを最初に実現したのは米国で，軍事目的で開発された。航空機や船舶などを誘導するための，正確な航法支援として利用されていた経緯がある。

ディスクからHDD，フラッシュメモリと大容量の情報を高速に扱うことが可能となった。また，携帯電話のデータ通信機器を搭載したカーナビが登場し，地図情報の更新，地域情報のダウンロードが無線経由でできるようになった。

カーナビは，運転者の経路探索のためだけでなく，同乗者の車内におけるエンタテインメントとしての役割も担うようになっている。カーナビとスマートフォンを接続するためのUSBインタフェースの搭載や，Bluetooth接続に対応したものがあり，スマートフォンに保存された音楽などをカーナビで再生することができる。[*12] また後部座席用に取り付けられたサブディスプレイモニタを利用し，運転席側ではナビゲーションの画面を，後部座席ではテレビや映画を楽しむなどの別々の用途で同時に使うこともできる。

[3] インターネットサービスの利用

スマートフォンやタブレットを用いたインターネットサービスを利用して，カーナビ専用端末のように経路を探索することができる。自動車だけでなく，徒歩や自転車での移動の経路探索にも使用されている。

スマートフォンの標準地図アプリにルート案内機能が搭載されており，カーナビ専用端末と同様にGPSを利用する。またスマートフォンでカーナビ専用端末と同様の機能を実現するような専用アプリも多数販売されている。[*13]

歩行者に対するルート案内を行うものを一般に，**歩行者ナビ**とよぶ。図8.8に歩行者ナビの機能をもつアプリの例を示す。歩行者ナビにはGPSを使用したもの以外に，日本語が不自由な海外からの旅行者や，視覚障がい者など，利用する歩行者にあわせて音声で誘導するシステムや，無線ICタグを使用した歩行者ナビの実験が行われている。[*14]

■図8.8——
地図アプリ
「Yahoo! MAP」
Map data © Mapbox ©
OpenStreetMap © Zenrin Co.,
Ltd. © Yahoo Japan
（提供：ヤフー株式会社）

8-3-2 ITS

図8.9に示すように，道路交通の安全性，輸送効率，快適性の向上などを目的として，情報通信技術やディジタル技術を用いて，人と道路と車両とを一体のシステムとして構築する運輸体系の総称を**高度道路交通システム**（ITS：Intelligent Transport Systems）とよぶ。

ナビゲーションシステムの高度化，ETC（自動料金収受システム）の整備，安全運転支援，交通管理の最適化，歩行者の支援など，道路交通に関連する分野をIT化して，人や荷物の移動を安心，安全，快適に行うことを目的とした国家的なプロジェクトとして政府主導で普及が図られている。

■図8.9——ITS

■図8.10——ETCのしくみ

[1] ETC

図8.10に示すように、高速道路などの料金所に設置されたアンテナと車両に搭載されたETC車載器との間で通信を行い、通行料などの支払いを処理するシステムのことをETC（Electronic Toll Collection）とよぶ。図8.11は車載器の例である。交通渋滞の緩和や料金所を通過する際の停車／発進を減らせるため、排ガス軽減による周辺環境の改善に貢献している。

日本国内で普及しているのは車載器にクレジットカード会社が発行する接触型ICカードを挿し込むタイプであり、事前にクレジットカード会社からETC対応カードの発行を受ける必要がある。

ETCとしての機能に加え、渋滞情報などの配信を可能にした規格がETC 2.0である。全国の高速道路を中心に約1,600カ所で設置されているITSスポットから、さまざまな情報を発信する。扱える情報量が従来のVICSよりも拡大しており、走行車両の前方1,000kmの高速道路の情報を配信できるとしている。

■図8.11——
ETC車載器の例

[2] VICS

VICS（Vehicle Information and Communication System）は、FM多重放送や道路上の発信器から受信した交通情報を図形や文字でカーナビに表示するシステムのことである。VICSは現在3種類のメディアで運用されている。最新のカーナビでは、VICSから得た情報と過去の統計データをもとに、経路上の渋滞予測や高度な行程案内を行うことが可能である。

・FM多重放送方式
全国に設置されたVICS-FM放送局から電波で都道府県単位の交通情報が提供されている。
・電波ビーコン（5.8）方式
高速道路に設置された発信器から前方200km程度の交通情報を電波で走行車両に送信する。
・光ビーコン方式
主要な一般道に設置され、光通信により前方30km程度の交通情報を車両に提供する。

8-3-**3** ADAS

運転手が快適で安全に運転できるように，運転を支援する技術のなかでもとくに情報処理を行うものを**先進運転支援システム**（ADAS：Advanced Driver-Assistance Systems）とよぶ。

この技術を利用して，安全運転を支援するさまざまな機能が自動車に搭載されている。たとえば，レーダやカメラで情報を取りこみ，前走車への衝突（追突）の可能性が高いと装置が判断すると，運転手に警告音を発して注意をうながし，運転手が警告に気づかなければ，自動でブレーキをかける装置（衝突被害軽減ブレーキ）がある。また，高速道路走行時に，前走車との適切な距離を保ちつつ追随する機能（アダプティブ・クルーズコントロール：ACC）がある。カメラにより，道路上の白線や黄線を認識し，その間を自動車が走行するようにハンドルの角度（操舵角）を自動調整するのが車線維持支援（LKS）である。前出のACCとLKSが同時に使用できると，後述の自動運転レベルの「レベル2」となる。

ADASではないが，走行状況の画像とデータを記録するドライブレコーダが普及している。事故発生時に自動的に緊急通報を行う機能や，衝撃の度合いから事故の深刻度を通報先に連絡する機能も一部車両に搭載されている。海外では，自動通報が義務化されている地域もある。

自動車の世界では，**自動運転**の実現に向けた取り組みが積極的に進められている。米国に拠点を置く自動車技術者協議会（SAE）では，自動運転のレベルを表8.1のように定義している。2023年1月現在，公道を走行できる自動車として，自動運転レベル3までのものが販売されており，自動運転レベル4の実証実験が進んでいる。

法律や保険，事故に対する自動車メーカの責任をどのようにとらえるかなどの検討が進められており，高いレベルの自動運転の実現には時間を要すると想定される。

■表8.1——自動運転レベル

レベル		内容
運転支援	レベル0	運転者がすべての運転操作を実施。
	レベル1	システムが前後・左右のいずれかの車両制御にかかる運転操作の一部を実施。
	レベル2	システムが前後・左右の両方の車両制御にかかる運転操作の一部を実施。
自動運転	レベル3	システムがすべての運転タスクを実施。ただしシステムからの要請に対する運転者の応答が必要。
	レベル4	システムがすべての運転タスクを実施（限定条件下）。システムからの要請などに対する運転者の応答が不要。
	レベル5	システムがすべての運転タスクを実施（限定条件なし）。システムからの要請などに対する運転者の応答が不要。

8-4
ロボット

ロボットは多様な形で存在し，あらゆるシーンで人の行動や作業を支援している。工場での組立作業など産業用以外に，家庭で活躍するサービスロボットも増えている。ここでは，おもに日常生活を支援するサービスロボットについて解説する。

8-4-1　家庭で活躍するロボット

　家電や機器を使って人が行う作業を代行するロボットには，掃除ロボット（図8.12）や芝刈りロボットなどがすでに実用化されている。これらは，センサや制御回路の搭載により，庭や部屋の形状を認識し，人に代わって自動的に仕事をするというものである。

　人とのコミュニケーションを目的とするロボットもある。感情を表現するしくみを備え，ユーザの発話内容や行動に応じて感情を示すことでコミュニケーションを図るものである。たとえばペット型ロボットや，離れて暮らす家族とのコミュニケーションを目的としたロボット，ぬいぐるみにデバイスを取り付けることにより，ぬいぐるみを通して子どもと会話をすることができるロボットなどである。こうしたロボットとのコミュニケーションが認知症などの予防につながるとの効果も期待されている。

■図8.12——
掃除ロボットの例
「Braava」
（提供：アイロボット）
家庭用床掃除ロボット。
センサによって周辺の
状況を把握し，自律走行
しながら床面の掃除を
行う。

8-4-2　社会で活躍するロボット

　感染症の防止対策や人材不足の解消，経費の削減などを目的として，人の代わりにサービス業務を行うロボットが利用されている。たとえば，飲食店での配膳サービスを代行するロボット（図8.13）や，来客者に対する受付業務を代行するロボット（図8.14），介護施設でのレクリエーション用ロボットなど多岐にわたる。従来は人が行ってきた作業をロボットで代行し，作業の効率を高める省人化が進められている。

■図8.13——配膳ロボットの例
「BellaBot ©Pudu Robotics」
（提供：株式会社USEN（USEN-NEXT GROUP））
タッチパネルでテーブルを指定して自動で配膳を行う。

　また，人の代わりではなく，人ができないことを行うロボットとして，災害現場で人の代わりに生存者を発見・救助するレスキューロボットの開発も進んでいる。災害現場では救助者が被災者になる可能性がきわめて高く，かつ早急に要救助者を発見できなければ生死に関わる。レスキューロボットには瓦礫上を自走し要救助者を探索するものなどがあるが，現在は人の手でリモートコントロールするものが主流である。

■図8.14——ロボットによる受付
「ロボコネクト」
（提供：東日本電信電話株式会社）

8-5

文化と学術

書物，美術品などの文化財や，論文，教材などの学術資料は，ディジタル化により保存され活用されている。ここでは，その代表的な取り組みについて解説する。

8-5-1　ディジタルアーカイブ

ICTを活用して書物や美術品，文化財，知的生産物などをテキスト，画像，映像としてディジタル化して保管し，ネットワークなどを介して活用する取り組みを**ディジタルアーカイブ**とよぶ。文化的な財産の保護と継承や，学術分野での情報の共有と保存を目的としている。[*15]

[1] 電子美術館と電子博物館

文化庁では1996年から，国立博物館と美術館の収蔵作品や国指定文化財についてディジタル化と情報公開を進める「文化財情報システム・美術情報システム」の構築を進めてきた。それと同時に，地方公共団体の博物館や美術館におけるディジタル化，アーカイブ化の支援も行った。ネットワークの高速化と

■図8.15——「文化遺産オンライン」
（https://bunka.nii.ac.jp/）

ICTの向上を背景に，絵画，美術品，記念物，建造物，文化的景観などの有形の文化遺産と，伝統芸能，工芸技術などの無形の文化遺産を含む，総合的な文化遺産のディジタル化の取り組みが行われている。文化庁のWebサイトでは，「文化遺産オンライン」として公開されている（図8.15）。

[2] インターネット上の情報の収集と保管

インターネット上で公開されている情報は，永続的な参照が保証されているわけではなく，いつ閲覧できなくなっても不思議ではない。そこで，こうした情報を収集し保管するための取り組みが行われている。この取り組みでは，米国のInternet Archiveという団体が有名であり，同団体のWebサイトで目的のWebサイトのURLを入力すると，そのWebサイトの過去の情報が表示される。日本では2002年から，国立国会図書館がWeb情報を文化資産として将来の世代のために保存する「インターネット資料収集保存事業」のプロジェクトを実施している。

*15 日々更新され消えゆくWebページを収集して，インターネット上の過去の情報として保管する活動などもこれに含まれる。

コンピュータデータベースを利用して電子情報を保管した図書館のことを，一般に**電子図書館**とよぶ。コンピュータネットワークやインターネットから書籍などの情報が蓄積されたサーバ（コンピュータ）にアクセスして閲覧するしくみである。図8.16に電子図書館の例を示す。

[1] 書籍情報の電子化

図書館の所蔵目録は，蔵書の位置などを記録したもので，これまでは図書カードとして整備されてきた。コンピュータの導入とともに，図書カードの電子データベース化が進み，ユーザはディジタル端末などで，簡単に蔵書の有無や位置を確認できるようになった。また，地方自治体が運営する一部の電子図書館では，図書の数は限定されているものの，本の中身の情報を電子化して，ネットワーク経由で貸出・返却できるサービスが提供されている。

■図8.16——電子図書館の例
「筑波大学附属図書館」（提供：筑波大学附属図書館）

[2] 電子図書館の例

インターネットを経由していつでもどこからでもアクセスできる電子図書館の例に「青空文庫」がある。[*16] 著作権の保護期間が終了した文学作品を収集して公開している。各作品はボランティアの手により，テキストファイルやXHTMLファイルなどで電子化される。収録作品はディジタルデータとして管理されるため，テキストを読み上げるアプリケーションソフトウェアなどと組み合わせた利用ができる。

*16 約17,290作品を収録している（2023年1月現在）。

*17 リポジトリとは，システム構築やアプリケーションソフトウェアの開発に関する情報を一元管理するデータベースを指す。

*18 学術に関する情報検索や共有のためのWebサイトのこと。たとえば，国立情報学研究所による「CiNii」がある。研究データや論文などを検索できるデータベースである。

8-5-**3**　機関リポジトリ

大学や研究者などが研究のために著作権の問題がない文献や資料を単独で公開しているケースもあり，これらのポータルサイトも存在する。

大学や研究機関の知的生産物をディジタルデータとして集積し，保存および公開を行うためのシステムやサービスを**機関リポジトリ**とよぶ。[*17] 図8.17に機関リポジトリの例を示す。対象となる知的生産物には，論文や学位論文，紀要などのほか，各種文書や教材などがあり，多くの人が研究成果を参照できる。これらのデータを学術ポータルなどの[*18] データベースへと組織化することで，横断的な情報の検索が可能となっている。

■図8.17——機関リポジトリの例
「千葉大学学術成果リポジトリ：CURATOR」（提供：千葉大学附属図書館）

8-6

行 政

オープンデータの公開や，各種の行政手続きが，サービスとしてインターネットで提供されている。PCやスマートフォンなどを使って，自宅やオフィスで対応できるようになった。ここでは，ネットワークを活用した行政のWebサービスと，マイナンバー制度について解説する。

8-6-1　行政サービス

　さまざまな行政のWebサービスがインターネット上で提供されている。たとえば税金に関する手続きの確定申告の場合，国税庁のWebサイト上で必要情報を入力すれば提出書類を作成できる。また，後述するマイナンバーカードや，専用ソフトとICカードリーダを利用して，自宅やオフィスから電子申告や納税などを行う**e-Tax**が利用できる。

　各市町村においてもWebサービスが提供されており，公民館や体育館など公共の施設の利用申し込みや，公立図書館の蔵書検索など，住民の利便性の向上に役立っている。

　オープンデータは，政府や地方自治体が保有する統計データ（公共データ）や，個人を識別できないように加工した匿名加工情報などを，インターネットを経由して機械が判読できるようなかたちで公開し，誰でも無償で利用できるようにしたデータである。オープンデータの活用と

■図8.18——オープンデータの例
（出典：ハザードマップポータルサイト）

して，たとえば，自治体が公開したハザードマップ（図8.18）を利用したスマートフォンアプリが登場している。こうしたオープンデータが企業のマーケティングなどにも活用されることで，新しいサービスやビジネスの創出が期待されている。

8-6-2　マイナンバー制度

　2016年1月から**マイナンバー制度**の運用が開始された。マイナンバー（法令上では「個人番号」）は，日本に住民票があるすべての人に割り当てられる12桁の番号であり，「税金に関すること」，「年金や医療保険といった社会保障に関すること」，「地震や大雨などの災害への対策に関すること」の法令で定められた手続きのために，国や地方公共団体，勤務先，金融機関，年金機構，保健医療機関などに提供するものである。

[1] マイナンバーカード

マイナンバーカード（図8.19）のICチップには，カードの券面情報（氏名，住所，生年月日，性別，個人番号，本人の写真など）や，公的個人認証の電子証明書などが記録されている。カード表面は，運転免許証やパスポートと同様に，金融機関などの本人確認が必要な手続きにおいて写真付き本人確認書類として利用できる。しかし，裏面の個人番号は，行政機関や雇用主など法令に規定された者にのみ利用が限定されており，それ以外の事業者がカードの裏面をコピーしたり保管したりすることはできない。

マイナンバーカードは，本人確認書類になる以外にも，コンビニエンスストアで住民票の写しや課税証明書などの各種証明書を取得する際や，健康保険証として利用することができる。

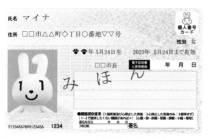 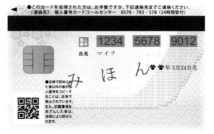

■図8.19——マイナンバーカードの見本
（出典：「メリットいっぱい！マイナンバーカード」（デジタル庁）https://www.digital.go.jp/assets/contents/node/basic_page/field_ref_resources/68bc86d6-94d7-4fe8-a592-302d78828e1f/f1c7e648/20221003_policies_mynumber_pros-and-safety_leaflet_01.pdf を加工して作成）

他人のマイナンバーを不正に入手したり，マイナンバーや個人の秘密が記録された個人情報ファイルを他人に不当に提供したりすると，罰則が科せられる。

[2] マイナポータル

マイナポータルは，行政機関で管理されている自分の特定個人情報の内容や，そのやりとりの記録（履歴）などを，PCやスマートフォンなどを利用して閲覧することができるWebサービスである（図8.20）。また，e-Taxでの確定申告に必要な証明書などをマイナポータル上で取得したり，日本年金機構の「ねんきんネット」と連携させたマイナポータルから自分の年金情報を確認したりできる。さらに，たとえば転出届のような各自治体への届け出など各種行政手続きに関する申請も，マイナポータル上で行うことができる。

■図8.20——マイナポータルの見本
（出典：「マイナポータル実証アルファ版」（デジタル庁）https://www.digital.go.jp/policies/myna_portal/validation/ を加工して作成）

8-7

医療

医療分野においても, 情報の共有や管理システムの構築により, 作業効率や利便性の向上が図られている。ここでは, 医療における情報技術の利用について解説する。

*19 レセプトコンピュータとは, 病院内において, 受付や会計事務を行うためのシステムのこと。

*20 インフォームドコンセントとは, 患者に症状を説明し, 治療方針や方法の同意を得ること。

8-7-1 電子カルテ

カルテとは, 医師が患者ごとに作成する診療記録簿のことである。これを紙媒体ではなく, 電子的なシステムに置き換え, 電子情報として一括管理してデータベース化したものを**電子カルテ**と定義している。電子カルテには図8.21のような利点がある。

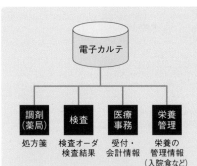

● **待ち時間の短縮**
診療終了時に, 電子カルテから診療内容がレセプトコンピュータ[19]に転送される。会計処理や処方箋発行が迅速に行え, 患者の待ち時間が短縮される。
● **インフォームドコンセント支援**[20]
検査結果のビジュアル表示により, 患者に的確な説明ができる。
● **カルテ開示**
患者からカルテの開示請求があった場合, 迅速に発行できる。
● **医療支援の推進**
長期保存された電子カルテから, 情報を速やかに検索できる。
● **医療事務の効率化**
レセプトコンピュータとの連動により, 従来の紙カルテによる会計入力作業がなくなり, 労力削減と誤入力防止につながる。
● **カルテ管理の省力化**
カルテ出し, 搬送, 収納といった煩雑な作業が不要になる。
● **カルテ保管の省スペース化**
カルテ保管庫が不要となり, スペースが節約される。

● **情報の共有化**
図のように, 病院内の各部門において, 同一患者のカルテを同時に参照することができる。カルテデータの共有化により, すばやい情報伝達ができる。

■図8.21——電子カルテの導入と利点

8-7-2 オンライン診療

■図8.22——オンライン診療アプリの例
「オンライン診療・服薬指導アプリ
CLINICS（クリニクス）」
（提供:株式会社メドレー）

さまざまな事情で通院できない人や, 服薬している薬をきちんと継続したい場合, 通院による二次感染を防ぐためできるだけ外出を控えたいときなどに, ビデオ通話を利用して, 自宅でオンラインで診療を受けるサービスが提供されている。アプリを利用したオンライン診療サービスの例をあげる。

オンライン診療のアプリをダウンロードしてユーザアカウントを作成し, 個人情報や症状, 普段常用している薬の情報などを入力して, 図8.22に示すように連携した病院を選択して予約する。医師による診察はスマートフォンなどからビデオ通話で行う。薬剤師による服薬指導もオンラインで受けることが可能で, 処方された薬は自宅に配送などで直接届けられるため, 病院の予約から薬の受け取りまでをインターネット上で一括して行うこともできる。

セキュリティと
情報リテラシ

ネットワークが至るところに遍在することにより，私たちの生活は
便利で豊かなものになった。しかしその一方で，個人1人ひとりが
「セキュリティ」や「知的財産の尊重」をいま以上に意識しなければ
ならないことを知る必要がある。ここでは，情報の安全な管理や節
度をもった情報の扱い方，知的財産権の保護など，多くの留意すべ
き事柄について解説する。

9-1

安全な通信のためのしくみ

インターネットが日常生活を豊かで便利なものにした一方で、インターネット特有のネットワーク犯罪も増加の一途をたどっている。ここでは、他者と安全にデータをやりとりするためのしくみについて解説する。

9-1-1　暗号化通信

テキストや画像、音声のデータを、第三者が解読できないようにルールに従って変換することを**暗号化**とよぶ。暗号化される前のデータのことを**平文**とよび、暗号化されたデータを平文に戻すことを**復号**とよぶ。暗号化されたデータを途中で見ても意味がわからないデータに変換されている。

データを通信で送る場合、送信者は暗号化するための鍵を使って暗号化し、受信者は復号するための鍵を使って元に戻す。代表的な暗号方式には、暗号化する鍵を公開鍵とし、復号する鍵を秘密鍵とする2つの鍵を使う**公開鍵暗号方式**がある。

[1] Webの暗号化

SSL（Secure Socket Layer）/**TLS**[*1]（Transport Layer Security）は、Webサーバ上で情報を暗号化して送受信するためのプロトコルであり、公開鍵暗号方式のしくみが用いられている。現在インターネット上で商取引をはじめとした安全な通信が可能になっているのは、公開鍵暗号方式によるところが大きい。

[2] ネットワークの暗号化

ネットワークでやりとりする通信の安全性を確保するために、通信経路を暗号化する技術がある。たとえば、ネットワーク経由で別のコンピュータにリモートログインして遠隔操作する際、その通信を安全に行うためのプロトコルを**SSH**（Secure Shell）とよぶ。暗号化機能とデータ圧縮機能をあわせもち、図9.1に示すように、これを利用することで通信経路全体を暗号化するため、安全に操作できる。また、Webの暗号方式のSSLを利用し、拠点間を仮想的な専用回線で安全に接続するVPN接続[*2]（SSL-VPN）も使われている。

*1　SSL/TLSで通信を行うWebページでは、Webサーバ上で一般のページとは別のディレクトリ（フォルダ）に格納して管理され、ブラウザなどの端末との間でHTTPS（Hypertext Transfer Protocol Secure）を使ってやりとりされる。このWebページのURLのスキーム名には「https://」が使われる。そのためURLから、ユーザは暗号化されたWebページかどうかがわかる。6-1-3も参照のこと。

*2　VPNには専用システムを用いるIPSec-VPNもあり、より安全性が高い。VPNについては、7-2-1も参照のこと。

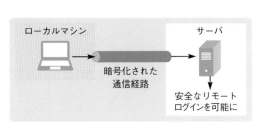

ローカルマシン　　　　　サーバ

暗号化された
通信経路

安全なリモート
ログインを可能に

■図9.1——SSHのしくみ

無線LANは無線区間内の電波の傍受が可能となるため，暗号化によって送信されるデータの安全性を確保する必要がある。この暗号化のしくみとして，**WPA2**（Wi-Fi Protected Access 2）や，さらにセキュリティを強化した**WPA3**（Wi-Fi Protected Access 3）のセキュリティプロトコルが利用されている。

*3　インターネットの接続については，4-2を参照のこと。

9-1-**2**　ファイアウォール

　内部ネットワークとインターネットを接続する場合には，ネットワークに出入りするアクセスを管理し，接続の許可の判断や不正アクセスの遮断を行う必要がある。このしくみを**ファイアウォール**とよぶ。

　ファイアウォールで外部からの不正アクセスを制限する方法に，**パケットフィルタリング**（packet filtering）方式がある。図9.2に示すように，管理者があらかじめ，通信プロトコルの種類や送信元のIPアドレスを判断基準として，どのような通信を許可・拒否するのかを設定しておく。

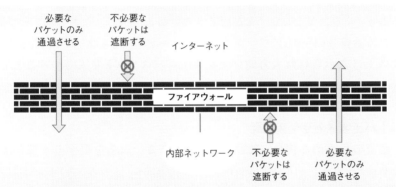

パケットごとに，通信プロトコルの種類（通信ポート番号）や送信元のIPアドレスから，必要／不必要を判断する

■図9.2——パケットフィルタリング方式のしくみ

　インターネットを経由してアクセスされる情報を監視し，特定の内容のコンテンツやサービスを遮断する方法を，**コンテンツフィルタリング**とよぶ。マルウェア感染などを防ぎ，犯罪を助長させる有害なWebサイトからユーザを守ることなどにも役立つ。

9-1-**3**　認証

　ICT化や自動化が進んだ社会では，機械などでサービスを受けるユーザが間違いなく本人であるかどうかを確認する**認証**が重要になる。さまざまな認証方法について，以下に解説する。

[1] アカウント認証

　インターネット上のWebサービスを利用する際には，chapter 5で解説したアカウント認証が不可欠な場合があり，一般にはユーザIDとパスワードの組み合わせを用いる。インターネット上のWebサービスでは，ユーザID

*4　アカウントについては，5-1-3を参照のこと。

とパスワードは本人であることを証明するための大切な手段である。そのため，その取り扱いには十分に注意する必要がある。

金融機関などのWebサイトにログインする場合，データの改ざん，盗聴，なりすましなどを防ぐために，**ワンタイムパスワード**を利用できることが多い。ワンタイムパスワードは一度しか使うことができない使い捨てのパスワードである。一定時間ごとに自動的に更新され，一度使用したパスワードは無効となる。固定のパスワードに比べて，不正な送金被害などにあうリスクを低減させることができる。パスワードはスマートフォンアプリや，**セキュリティトークン**[*5]とよばれる機器を使って発行する。

二要素認証（多要素認証）は，ユーザIDとパスワードによる認証後，さらに別の方法で認証を行って，本人であることを証明する方法である。パスワードや暗証番号などのユーザが知りうる知識による認証や，指紋や静脈などのユーザの生体情報による認証，ユーザが所持するスマートフォンやICカードなどのモノを利用した認証を，2つまたはそれ以上組み合わせる。たとえばWebサービスにログインする際に，まずユーザIDとパスワードを入力する。それが正しいことが認証されたあと，たとえば，あらかじめ登録した電話番号のSMSにワンタイムパスワードが届く。ユーザはWebサービス上に表示された入力欄にワンタイムパスワードを入力することで，Webサービスにログインできる。

[2] バイオメトリクス認証

認証の代表的な例に，銀行のATMがある。現金を引き出す場合は，キャッシュカードを入れて「暗証番号」を入力する。これが，ATMにおける認証であり，ここで本人かどうかを確認している。しかし，暗証番号だけではセキュリティが不十分であるという考え方もある。銀行によっては図9.3のように，手のひらの静脈パターンを読み取って認証するATMも導入されている。こうした人間の身体的特徴や行動的特徴を利用して認証する方法や技術を，**バイオメトリクス認証（生体認証）**とよぶ。バイオメトリクス認証には，指紋や顔，音声，筆跡など，さまざまな種類がある。虹彩認証は人間の瞳の虹彩パターンを使う方式で，認証精度が高い。生体認証を採用したPCやスマートフォンが普及している。

■図9.3——非接触型手のひら静脈認証装置の例

＊5　セキュリティトークンとは，認証に用いるデータを生成する物理的な機器のこと。単に**トークン**ともよばれる。その代表が，複雑な計算式を使って所有者ごとに異なる予測不能な数値を刻々と表示する，ワンタイムパスワード生成装置である。利用者は表示された番号をパスワードとして入力することで認証される。

9-2
セキュリティ

インターネット上で安全にやりとりをするしくみがあったとしても，悪意ある第三者によって隙をつかれ，被害をこうむることが少なくない。ユーザはセキュリティの意識を高めて，対策を施す必要がある。ここでは，マルウェアやサイバー攻撃によるリスクとその対策について解説する。

9-2-1　マルウェア

コンピュータやサーバに不正に入り込み，画面表示の改ざんや，ファイル，プログラムを破壊する悪意ある動作を行うソフトウェアの総称を**マルウェア**とよぶ。ここでは，マルウェアの感染経路や症状について解説する。

[1] マルウェアの感染経路

マルウェアは，電子メールやインターネット回線から感染するケースが多くみられる。[*6] 電子メールが原因で感染する**コンピュータウイルス**は，悪意ある第三者がウイルスに感染したファイルをメールに添付し，不正に入手したメールアドレスに無差別に送りつけ，ユーザがこの添付ファイルを開くことで感染する。従来のウイルス付きメールは添付ファイルを開かなければ感染しなかったが，HTMLメールを利用したものではメールを開いただけでも感染するおそれがある。

インターネット上でWebサイトを閲覧しただけで感染するマルウェア被害もある。ファイアウォールを設置していればマルウェアが侵入することは難しいが，たとえば，従業員が会社で使用しているノートPCを持ち帰り，自宅でインターネットに接続してマルウェアに感染してしまうと，そのノートPCを会社のネットワークにつないだ際に，サーバや別のユーザのPCにマルウェアの感染が広がってしまう（図9.4）。

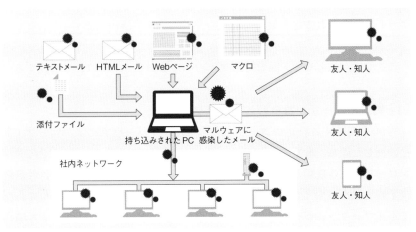

■図9.4——マルウェア感染の例

*6　もともとマルウェアはインターネットが普及する以前から存在しており，当時はパソコン通信やフロッピーディスクなどの「閉じた」メディアを通じての「感染」が主であったため，重大な問題を起こすことはなかった。しかし，インターネットが普及するにつれ，マルウェアの感染被害も徐々に広がった。

[2] マルウェア感染の症状

　マルウェアに感染すると，勝手にウイルスメールを外部に送信する症状や，ハードディスクの中身が消去されるといった症状が発生する。また，基本プログラムが勝手に書き換えられて操作不能にされることがある。コンピュータを外部から操作するための侵入経路である**バックドア**[*7]が作成され，コンピュータの制御が奪われ，パスワードやデータが盗まれる場合もある。

　さらに，感染したコンピュータをロックしたうえで，無断でファイルを暗号化して利用できない状態にし，元に戻すことと引き換えに金銭の支払いを要求する**ランサムウェア**とよばれるマルウェアがある。こうした金銭を窃取する目的のマルウェアが主流となってきている。表9.1に，代表的なマルウェアを示す。

*7　ユーザがダウンロードして実行することで感染する。有益なプログラムを装ってコンピュータ内に侵入する。感染端末をネットワーク経由で操作するための裏口（バックドア）などを作成する。

■表9.1——代表的なマルウェア

種類	内容
RAT （Remote Access Tool）	遠方からPCを乗っ取って操作する。トロイの木馬（バックドア）がよく知られている。
アドウェア	宣伝や広告を勝手に自動で展開する。ソフトウェアのインストール時に感染する場合が多い。広告表示だけでなく，偽のセキュリティ警告のメッセージを表示し，偽のセキュリティソフトの購入ページに誘導して個人情報を搾取する手口がある。
キーロガー	キーボードの操作を記録する。ソフトウェアのインストールや，USB端子への接続で入力内容を記録する。PCのログインパスワードや個人情報を盗むために使用される。
Antinny	ファイル交換ソフト（利用者どうしでPeer to Peerのやりとりをするため，P2Pソフトともよばれる）の利用者をねらったマルウェア。ファイル共有ネットワーク上に，ほかのファイルになりすまして置かれているマルウェアに感染すると，個人情報やさまざまなデータが勝手に公開され，情報流出の被害にあう。

9-2-2　日常にひそむセキュリティリスク

　PCやインターネットの利用においては，悪意ある第三者からの攻撃がひそんでいる場合があり，こうした攻撃を総称して**サイバー攻撃**とよぶ。金銭の搾取や，機密情報の不正取得などの被害にあうリスクが存在する。ターゲットに攻撃したことを気づかれないようにする手法が主流であり，水面下で情報を抜き取り，データを破壊するなどの大きな被害が生じている。

　ここでは，Webサイト閲覧時のサイバー攻撃のリスクについて解説する。

[1] 特定のユーザがねらわれるリスク

　Webを閲覧する特定のユーザをねらったサイバー攻撃には，Webサイトを訪問した際に，悪意のある不正プログラムが自動的にユーザのPCにダウンロードされる攻撃がある[*8]。図9.5にサイバー攻撃の例を示す。訪問者が幅広く被害にあいやすい。大勢の訪問者がある有名なWebサイトがねらわれて不正プログラムが仕込まれることも多いため，どのサイトに訪問する場合にも注意が必要である。

*8　ドライブバイダウンロードとよばれる。

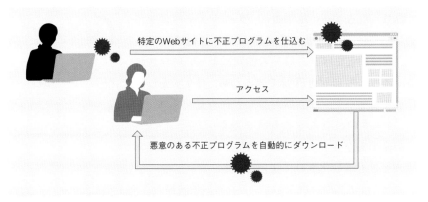

■図9.5——サイバー攻撃の例

　また，ユーザがWebサイトを訪問した際に，Webブラウザ上のボタンやリンクなどを透明にして見えない仕様にし，別のWebページに重ねて表示させるものがある[*9]。ユーザがクリックすると，表示されていない悪意あるサイトに遷移させられる。

　悪意ある第三者は，ターゲットとなるユーザがよく閲覧するWebサイトを調べ，そのWebサイトを改ざんしてマルウェアを仕込んでおく。ユーザがつぎにサイトを閲覧すると，不正なプログラムが発動してマルウェアに感染させられる場合がある[*10]。

[2] 不特定多数のユーザがねらわれるリスク

　Webを閲覧する不特定多数のユーザをねらったサイバー攻撃の例としては，**フィッシング**がある。たとえば，悪意ある第三者が，銀行になりすました電子メールを不特定多数のメールアドレスに送りつける。このメールを受け取ったユーザは，メール文面に記載されたURLをクリックし，銀行の企業サイトそっくりの偽サイト（フィッシングサイト）に誘導される。偽サイトにパスワードや暗証番号を入力してしまうことで，個人情報が盗み取られる不正行為である（図9.6）。宅配業者を装ったフィッシングもあり，偽の不在通知がSMSに送信され，受信したユーザは正規のWebサイトを模倣した偽サイトに誘導されて，住所や電話番号，マイナンバーカードや本人確認書類などに記載された個人情報を盗み取られる。とくに，SMSを利用したフィッシングの不正行為はスミッシングとよばれる。

　○○銀行ご利用のお客様へ

　このたび，当行のセキュリティの向上にともない，新たなセキュリティシステムを導入することとなり，現在お客様情報の確認を行っています．
以下のURLにアクセスし，必要事項を記入して確認手続きを完了してください．

　http://example.com/dummy.html

　この手続きを怠ると，今後のオンライン上での操作に支障をきたす恐れがありますので，一刻も早急なご対応をお願いします．

■図9.6——フィッシング詐欺の例

*9　クリックジャッキングとよばれるサイバー攻撃。Webブラウザを悪用してユーザを騙し，不利益となる行動をとらせる。

*10　水飲み場型攻撃とよぶ。肉食動物が狩りの際に獲物を待つ方法から名づけられた攻撃方法である。

chapter

9

2-2

セキュリティ

171

「デジサート スマートシール」
（提供：デジサート・ジャパン合同
会社）
■図9.7——認証局の例と
そのマーク

SSL/TLSサーバ証明書は，Webサイト運営主体
の実在性と，Webサイトの本人性を証明するため
に，認証局とよばれる第三者機関によって発行され
る。サイトの身元を確認できるため，なりすましの
防止やフィッシング詐欺対策などに有効である。ま
た，データの改ざんを検知する効果が期待できる。
この証明書をもつWebサイトであれば，個人情報を
入力しても暗号化されて送信される。[*11]

図9.7に認証局の例を示す。これらの認証局からSSL/TLSサーバ証明書
を取得したWebサイトには，各認証局のマークが記載されている。

また，電子メールなどを利用した不正行為のうち，架空のWebサービスを
装ったWebサイトから不当に料金を請求されるワンクリック詐欺が増加し
ている。これは「振り込め詐欺」のインターネット版である。ユーザのPCや
スマートフォンに，見慣れぬWebサイトへのアクセスを誘うメールが送信
される。ユーザがそこに記載されたURLにアクセスすると，突然「入会登録
が完了しました」などのメッセージが表示される。料金の振り込み方法と，
期日までに振り込まなかった場合の取り立て措置が示され，さらに，「あなた
の個人識別番号は」，「あなたのIPアドレスは」，「あなたのプロバイダは」と
いった，あたかも個人情報を取得したかのような情報も表示される（図9.8）。
実際には，これらの情報から個人情報が漏えいすることはないため，このよ
うなWebサイトにアクセスしてしまった場合は，無視してすぐにサイトを
閉じることが大切である。

■図9.8——ワンクリック詐欺の例

[3] OSやWebサイトの脆弱性がねらわれるリスク

Webサイトなどの脆弱性であるセキュリティホールをねらって攻撃され
るリスクがある。[*12]脆弱性のあるブログや電子掲示板などに，攻撃者の罠が仕
掛けられている。たとえば電子掲示板上に「悪意のあるスクリプト」を含ん
だ罠リンクが埋め込まれた書き込みがある場合，そのリンクをクリックした
ユーザは別のWebサイトに遷移され，ユーザの個人情報やPCに保存され
ているCookieの情報などが盗まれてしまう。怪しいURLはクリックしない
ことや，後述するセキュリティ対策ソフトを導入するなどの方法がある。

*11 このしくみが機
能するためには，認証
局そのものが信頼で
きる存在でなければ
ならない。したがっ
て，認証局には厳格な
運営が求められてい
る。また，階層構造で
上位に位置する認証
局が下位の認証局の
証明書を発行するし
くみもある。

*12 クロスサイトス
クリプティングとよば
れる。

chapter

9

2-2

セキュリティ

9-2-3　セキュリティ対策

　これまでに解説したマルウェアやサイバー攻撃を避けるために，ユーザは日頃からセキュリティリスクを意識して対策を施す必要がある。具体的な対応方法がわからない場合や，効率的にセキュリティ対策を行いたい場合には，独立行政法人情報処理推進機構セキュリティセンターが発表している「情報セキュリティ5か条」を参考にするとよい。

【情報セキュリティ5か条】[*13]
1.　OSやアプリケーションソフトウェアはつねに最新の状態にする
　Windowsなどの OSやアプリケーションソフトウェアのアップデートを適用せずに放置していると，脆弱性が改善されず残った状態になる。そのままでは脆弱性をねらったウイルスに感染するおそれがあるため，必ずアップデートする。

2.　ウイルス対策ソフト[*14]を導入する
　ファイアウォール機能や脆弱性対策などが搭載された統合型のセキュリティ対策ソフトであれば，安全性を高められる。

3.　パスワードを強化する
　推測されやすいパスワードの使用をやめて，文字数が多く複雑なパスワードを設定する。複数のWebサイトで同じパスワードを使用しない。

4.　共有設定を見直す
　クラウドストレージ，ネットワークに接続している複合機やハードディスクの共有設定ミスにより，情報漏えいするケースがある。共有範囲に問題がないか確認しなければならない。

5.　脅威や攻撃の手口を知る
　サイバー攻撃の最新の傾向を確認することで，危険な状況にすぐ対応できる。

9-2-4　パスワードの対策

　ほとんどのWebサービスでは，利用にあたりパスワードが必要となる。悪意のある第三者は，ユーザのパスワードを不正に入手するために，攻撃をしかけることがある。たとえば，ねらっている情報を引き出すために必要となる暗号鍵，暗証番号，パスワードなどを，プログラムを使用して数字の並びを1つひとつ試す[*15]。数字だけで構成される4桁のパスワードの場合，4桁

*13 中小企業の情報セキュリティ対策ガイドライン「情報セキュリティ5か条」を参照。IPA独立行政法人情報処理推進機構（https://www.ipa.go.jp/security/keihatsu/sme/guideline/）

*14 代表的なセキュリティ対策ソフトには，トレンドマイクロ社の「ウイルスバスター」やノートンライフロック社の「ノートンアンチウイルス」，イーセット社の「ESET」などがある。

*15 総当たり攻撃とよばれる。

で考えられる0〜9のすべての組み合わせを入力してパスワードを解読する。全部で1万とおりの組み合わせがあるが，何回か間違えるとロックがかかるといった対策がなされていなければ，組み合わせの処理を自動化させることですぐにパスワードが解析されてしまう。

　また，ユーザがWebサービスを利用する場合，複数のサービスで同じパスワードを使いまわすことが多い。悪意のある第三者は，このユーザの行動を利用して攻撃する。Webサイトに不正に侵入して取得した会員情報や，個人情報のリストを不正に所持する所有者からアカウント情報を購入し，アカウント名とパスワードを組み合わせて，別のWebサービスでログインできるかを試し，暗号やパスワードを探し当てて不正に使用する。[16]

　これらの攻撃は事前に対策を講じることで，被害を避けやすくできる。パスワードは桁数が多く，英字，数字，記号が含まれるもので，類推されにくいものが推奨されている。生年月日や電話番号，住所，氏名といった推測されやすいパスワードは極力避けることが望ましい。Webサービスによっては，そうした身近なものはあらかじめパスワードとして登録できないようになっている。また，パスワードの使いまわしは，Webサービスのいずれかでパスワードが漏えいすると別のサービスも不正に利用されるおそれがあるため，使いまわさないことが有効である。

　強固なパスワードの設定に利用できるパスワード管理ソフトがある。第三者が推測しにくい難しいパスワードを設定し，管理ソフトに記憶されるため，自動で簡単に入力できる。ただし，ユーザ自身はパスワードを入力する必要がないため，ユーザがパスワードを覚えられなくなるデメリットもある。

9-2-5　組織におけるセキュリティ対策

　chapter 7で解説したように，テレワークなどインターネット環境下の業務では，ネットワーク経由で行われるサイバー攻撃の被害にあわないために，適切な情報セキュリティ対策を講じる必要がある。企業の情報システムやデータには，破損やマルウェアへの感染，情報漏えいなど，さまざまなリスクが発生する恐れがある。これらのリスクを防ぐために，重要とされている情報セキュリティの要素を押さえた対策を実施する必要がある。

[1] 個人がやらなければならない対策

　組織のセキュリティ対策においても，個人が取り組まなければならない対策がある。実際に，個人の知識不足や対応のミスなどからマルウェア感染などの被害にあう場合もあるため，注意しなければならない。たとえ悪意がなくても，社内の規定に従って持ち出したPCやUSBメモリを紛失するといった不注意で，情報漏えいが起こることがある。1人ひとりが情報セキュリティ対策についての知識を身につけ，セキュリティ意識を高めることが重要である。

【個人がやらなければならない対策】
・適切なパスワード管理
・マルウェア対策
・SNS利用時の注意
・データのバックアップ
・電子メールの誤送信防止
・安全性が不明な電子メールの開封禁止
・公衆無線LANの使用制限
・デバイス持ち運びの際の紛失や盗難防止　など

　電子メールについては，取引先や関係者の名前でウイルス付きメールを送ることも多くみられるため，少しでも安全性に疑問がある場合は開封せずに確認するなどの対応が必要である。

[2] 組織でやらなければならない対策

　情報漏えいは，たとえば従業員が顧客の個人情報を名簿業者に販売することを目的として，社内サーバなどから自分のPCに不正にコピーし，USBメモリでの持ち出しや，メールに添付して送信することで起こる。情報漏えいを防ぐためには，ネットワークやシステム上のセキュリティを強化するほか，監視カメラを導入する，個人情報や機密情報にアクセスできる社員を限定する，ファイルのコピーを防止する，メールの添付ファイルを暗号化する，USBメモリなどのポータブル記録メディアの使用を禁止する，といった対策が考えられる。[17]

　組織における情報漏えいの原因の1つに，インターネットからの不正アクセスがある。ファイアウォールやセキュリティの設定などに問題があり，システムの脆弱性を放置すると，インターネット経由で組織内のネットワークに侵入されて情報が盗み出されることがある。

　組織の情報管理担当者が，情報セキュリティポリシ[18]に従って組織的に実施する対策もある。万が一，企業や組織の情報が漏えいした場合には重大な問題につながるため，情報管理担当者はつねに情報セキュリティに関する情報を収集して，対策の最適化を継続的に行うことが重要である。

【組織でやらなければならない対策】
・ソフトウェアの更新
・ネットワークのセキュリティ構築
・ユーザのアクセス権限と認証管理
・マルウェア対策／不正アクセス対策
・データのバックアップ　など

*17 企業のセキュリティ対策の方法については，7-2-1を参照のこと。

*18 企業や組織などが定める情報セキュリティ対策の方針や行動指針のこと。

175

9-3
情報リテラシ

情報リテラシとは，世の中のあらゆる情報を適切に活用できる能力を指す。検索して正しい情報を収集し，解釈してから正しく情報を発信することまでが情報リテラシである。すべての情報をそのまま受け取るのではなく，正しい情報を見極めることが重要である。

9-3-1　情報格差

　コンピュータやインターネットなどの情報通信技術を利用できる者と，利用できない者との間に生じる格差がある。これを，**ディジタルデバイド**とよぶ。地域，年齢，性別，年収，学歴などのさまざまな要因があり，ディジタル情報を扱う能力が弱いために社会的な不利益や差別を被ることもある。

　国内では小学校からICT教育が行われるようになり，インターネットがインフラとして定着した現代ではあるが，なかには視力の問題や操作の難しさのためにディジタル端末が苦手な高齢者や障がい者，経済的な事情でインターネットをあまり利用できない人もいる。インターネットで提供される情報やサービスが得られないことで，さらに不利な影響を受けるといった負の連鎖も生じている。

　ディジタルデバイドを少しでも軽減するために，誰にでも利用しやすいユニバーサルデザイン[19]の活用や，誰もが利用することができるWebのガイドラインであるWCAG（Web Content Accessibility Guidelines）が注目されている。

*19 ユニバーサルデザインについては，1-3-2を参照のこと。

9-3-2　情報を発信する責任

　現代では，新聞やテレビなどのマスメディアだけでなく，個人がインターネット上でさまざまな情報を発信するパーソナルメディアも多くみられる。個人が発信する情報には，単なる誤りである誤情報やデマ，何らかの意図をもって事実が歪曲された情報など，**フェイクニュース**も少なくない。そのため，信憑性に欠けた情報と，事実を伝えている情報との区別が難しくなっている。また，SNS[20]での不適切な発言や誹謗中傷を行うことで，意見や批判が殺到する**炎上**を招くおそれがある。

　とくに高い専門知識をもつ技術者や，機密情報の取り扱いに従事するもの[21]は，情報を発信するうえで，その内容が社会にどのような影響をもたらすのかを十分に検討しなければならない。インターネット上では，一度情報を発信すると完全に消すことが難しく，それにより困る人がいることに注意を向ける必要がある。

　企業による広告も，情報の発信であるといえる。chapter 6で解説したネットマーケティングや広告手法を実行する際は，広告価値を毀損してい

*20 SNSについては，5-3-1を参照のこと。

*21 技術者には，技術者倫理（技術者に求められる行動規範。技術を悪用せず，公共の利益を優先させて行動すること）に基づいて業務を遂行する責任がある。

ないか，よく考慮する必要がある。表9.2に，とくに注目すべき広告価値毀損の留意点を示す。

■表9.2──広告価値毀損の留意点

種類	内容
アドフラウド	自動化プログラムなどによって不当に広告費を発生させる悪質行為。アドフラウドはインプレッション（広告が表示された回数）の水増しにもつながるため，広告を出す前にアドフラウドへの対策をとらなければ，ただ広告費を吸い取られることになりかねない。被害の現状を把握することに加えてトラフィックの検証を行うことが大切である。
ブランドセーフティ	企業のブランド力を損なう広告が表示される危険性を取り除くこと。不特定多数のユーザに表示される広告の内容について，企業は責任をもたなければならない。
ビューアビリティ	発生したインプレッションのなかで，ユーザが問題なく閲覧できる状態にあったインプレッションが発生した比率のこと。ビューアビリティが低ければ，費用が発生しているがユーザに届いていない広告が多いということになる。ビューアビリティの基準は，現状でははっきりと定まっていないが，広告の出稿者はビューアビリティが保証されないことで起こりうる問題について理解しておく必要がある。

9-3-3　個人情報保護の重要性

　前述したとおり，データを持ち出したり送信したりすることがより容易となったため，事業者が蓄積する顧客データなどの個人情報の取り扱いには，これまで以上の慎重さが求められている。

　企業や組織では，顧客データなどのさまざまな個人情報を保持している。データの電子化や情報処理技術の向上もあり，その蓄積，流通，加工，編集が簡単に行えるようになった。また，CRM（Customer Relationship Management）[*22] が普及し，Webサイトとデータベースが連動して，大量の個人情報を瞬時に処理・蓄積することが可能になった。企業において，顧客や取引先，業務の内容などの情報をデータベース化して利用することは，効率化の向上やビジネス戦略上は非常に有効である。その一方で，企業や組織が取り扱う個人情報は膨大になり，管理が不適切であれば顧客データが外部に漏えいすることにもなりかねない。

　多くの企業や団体では，これらの情報が電子化されることによって，そこで保管されている個人情報が流出したり，再利用されたりする事件が多発した。電子化された情報は，一瞬で遠隔地にまで拡散される。たとえ事件や事故に遭遇せず，実害がなかったとしても，情報漏えいにより不正に個人情報を詐取された本人にとっては，自分の個人情報が誰にどのように保管され，どこでどのような目的で使われるのかわからないため，不安や不快に思うものである。こうした個人情報の取り扱いに対する不安が，オンラインショッピングや，SNSへの参加などに対する大きな障害にもなっている。

　個人情報の漏えいによる事態を未然に防ぐためにも，個人情報保護の重要性を認識し，正しく取り扱うことが大切である。

*22 企業が情報システムを応用し，顧客との長期的な関係を築く手法のこと。

9-3-4 個人情報保護法

個人情報は，個人の人格尊重の理念のもとに慎重に取り扱われるべきものであり，その適正な取り扱いが図られなければならないという考えから，2005年4月に「個人情報の保護に関する法律」（個人情報保護法）が施行された。この法律は，個人情報を保管している事業者に対し，さまざまな義務と対応を定めている。基本的には個人を守るための法律ではなく，個人情報をもつ企業が守らなければならない義務を定め，それに違反した場合には行政機関が処分を行うという性質のものである。

個人情報の定義は，個人情報保護法第2条1項において「生存する個人に関する情報であって，当該情報に含まれる氏名，生年月日その他の記述等により特定の個人を識別することができるもの（他の情報と容易に照合することができ，それにより特定の個人を識別することができることとなるものを含む）」とされている。たとえば，氏名，生年月日，性別，住所，年齢，職業，職種，肩書などが記載された情報があり，これらを組み合わせたときに，個人が特定される情報の集合が個人情報であると考えられる。

個人を特定する「個人情報の識別符号が含まれるもの」も個人情報に含まれる。個人識別符号とは，DNAや顔などの身体の一部の特徴を電子計算機のために変換した符号や，旅券番号・基礎年金番号など，サービスの利用や書類において対象者ごとに割り振られる符号とされており，政令や規則で個別に指定されるとしている。

特定の個人を識別することができないように個人情報を加工し，当該個人情報を復元できないようにした情報を，匿名加工情報とよぶ。匿名加工情報を取り扱う場合に遵守すべき義務のもと，本人の同意を得ることなく，第三者に匿名加工情報の提供ができる。

個人情報保護法では，個人情報を保有する個人情報取扱事業者に対し，個人情報の不正な取得の禁止，本人の同意を得ずに行う第三者への提供の禁止，個人情報の漏えい防止，苦情への適切・迅速な対応を義務付けている。

要配慮個人情報[*23]の取得には，原則として本人の同意を義務化する。第三者からの個人情報の提供や受領の際には，原則としてあらかじめ個人情報者（本人）の同意が必要とされ，提供者・受領者の氏名や提供・受領した年月日などの確認記録作成を一定期間保存することが義務付けられている。

2022年4月1日に施行された改正個人情報保護法では，個人データの漏えいが発生し，個人の権利利益を害するおそれがあるとき[*24]は，個人情報保護委員会への報告および本人への通知が必要となった。

また，匿名加工情報に加え，仮名加工情報（ほかの情報と照合しない限り特定の個人を識別できないように加工した，個人に関する情報）の利用に関する制度が設けられた。ビッグデータ[*25]解析による企業のマーケティング活動などへの利用が想定されている。

---

*23（個人情報保護法第2条3項より）「この法律において『要配慮個人情報』とは，本人の人種，信条，社会的身分，病歴，犯罪の経歴，犯罪により害を被った事実その他の本人に対する不当な差別，偏見その他の不利益が生じないようにその取り扱いにとくに配慮を要するものとして政令で定める記述が含まれる個人情報をいう。」とされている。

*24 個人の権利利益を害するおそれがあるときに該当する事態は，要配慮個人情報が含まれる事態，財産的被害が生じるおそれがある事態，不正の目的をもって行われた漏えいなどが発生した事態，1,000人を超える漏えいなどが発生した事態が該当する。

*25 ビッグデータについては，7-1-1を参照のこと。

chapter 9

3-4

情報リテラシ

知的財産権

映像, 文章, イラスト, 音楽, 写真など視聴覚的な情報表現のうち, 知的財産として法的に保護されるものは, 他人による無断利用や模倣から守ることができる。ここでは, 法的保護の対象となるものや創作者の権利など, 知的財産権のうち著作権について解説する。

9-4-1 知的財産権とは

知的財産権とは, 人間が知的な創造活動によって生み出した成果(知的財産)に対する権利の総称である。知的財産権制度は, 成果を生み出した創作者に一定期間権利を与えて法的に保護することで, 他人による成果の無断利用を防ぐとともに創作者の経済的基盤を確保することによってさらなる成果の創造をうながし, 産業や文化の発展をもたらすことを目的としている。

知的財産権には, おもに**著作権**と**産業財産権**(特許権, 実用新案権, 意匠権, 商標権)があり, 保護対象とする成果により権利や保護法が異なる。知的財産権の概要は表9.3に示すとおりである。

■表9.3——知的財産権の概要

保護対象		保護法	権利名	保護期間
著作権	著作物(小説, 音楽, 舞踊, 絵画, 建築, 地図, 映画, 写真, プログラムなど)	著作権法	著作権 (詳細は表9.2を参照)	著作者の死後70年 (法人, 映画は公表後70年)
	実演, レコード, 放送		著作隣接権	実演, 発売後70年, 放送後50年
産業財産権	発明(「物」,「方法」,「物の生産方法」の発明で高度なもの)	特許法	特許権	出願日から20年
	考案(物品の形状, 構造または組み合わせにかかわる考案で高度性は不要)	実用新案法	実用新案権	出願日から10年(無審査)
	意匠(物品のデザイン, 画像デザインなど)	意匠法	意匠権	出願日から25年*26
	商標(トレードマーク, サービスマーク)	商標法	商標権	設定登録日から10年 (10年ごとに更新可能)
その他	営業秘密(ノウハウ, 顧客データなど), 著名な商品表示, 形態など	不正競争防止法	—	—
	半導体集積回路	半導体集積回路の回路配置に関する法律	回路配置利用権	設定登録日から10年
	植物新品種	種苗法	育成者権	品種登録日から25年 (樹木など永年性植物は30年)

*26　2019年意匠法改正で, 2020年4月1日から施行。

9-4-2　著作権法

　著作権法の目的は，著作権法第1条に「著作物並びに実演，レコード，放送及び有線放送に関し著作者の権利及びこれに隣接する権利を定め，これらの文化的所産の公正な利用に留意しつつ，著作者等の権利の保護を図り，もって文化の発展に寄与すること」と定められている。著作権制度は，著作者と著作隣接権者の財産的，人格的な利益を保護することによって創作をうながし，その結果多様な著作物が生まれることで，最終的には「文化の発展に寄与する」ことを目的としている。著作権の概要は表9.4に示すとおりである。

■表9.4——著作権の概要

	著作者の権利（著作物を創作した著作者に認められる権利）	
	著作権（著作財産権）	著作者人格権
権利の発生 （無方式主義）	著作物（小説，音楽，美術，映画，プログラムなど）を創作した時点で自動的に発生	
権利の性質	財産的権利，譲渡可	人格的権利，譲渡不可
権利者	著作者（著作権者）	著作者
権利の内容	複製権 上演権・演奏権 上映権 公衆送信権・伝達権 口述権 展示権 頒布権（映画の著作物のみ） 譲渡権（映画以外の著作物） 貸与権（映画以外の著作物） 翻訳権，翻案権など 二次的著作物の利用に関する権利	公表権 （未公表の自分の著作物を公表するかしないかを決定する権利） 氏名表示権 （自分の著作物を公表するときに著作者名を表示するかしないか，表示する場合は実名か変名かを決定する権利） 同一性保持権 （著作物の性質ならびにその利用の目的及び態様に照らしてやむを得ないと認められる場合などを除き，自分の著作物の内容，題号を自分の意に反して勝手に改変されない権利）
保護期間	一般著作物は原則として，創作のときから著作者の死後70年間[27]	著作者の生存中 （著作者の死後も著作者人格権の侵害となるべき行為をしてはならない）
関係条約	ベルヌ条約（文学的及び美術的著作物の保護に関するベルヌ条約） 万国著作権条約 TRIPS協定（知的所有権の貿易関連の側面に関する協定） WIPO著作権条約（著作権に関する世界知的所有権機関条約）	

[27]　保護期間
・実名（周知の変名を含む）の著作物：著作者の死後70年（原則的保護期間）
・無名・変名の著作物：　　　　　　　公表後70年（死後70年の経過が明らかであれば，その時点まで）
・団体名義の著作物：　　　　　　　　公表後70年（創作後70年以内に公表されなければ，創作後70年）
・映画の著作物：　　　　　　　　　　公表後70年（創作後70年以内に公表されなければ，創作後70年）

「環太平洋パートナーシップ協定の締結に伴う関係法律の整備に関する法律の一部を改正する法律」が2018年12月30日に施行され，著作物の保護期間が50年から70年に改正された。

[1] 著作物

著作権法によって保護されるものを**著作物**とよぶ。著作物は「思想又は感情を創作的に表現したものであって，文芸，学術，美術又は音楽の範囲に属するもの」(著作権法第2条1項1号)と定義されている。著作物であるためには，その表現形式や完成のいかんに関係なく，著作者の考えや個性が精神的な創作によって何らかの形で具体的に外部に表現されているものでなければならない。創作性を有することが重要な要素であり，その内容の優劣や芸術性，経済性，新規性などは問題とされない。著作物には，言語(小説など)，音楽，舞踊(振付け)，美術(絵画，漫画など)，建築，学術的な図表，映画，写真，プログラムの著作物や編集著作物(新聞，雑誌など)，データベースの著作物などがある。表9.5に著作物の種類を示す。これら以外でも著作物の定義に該当する限り著作物として保護される。

著作物でないものとしては，思想・感情を表現していない単なる事実や数字の羅列のようなデータ，外部に表現されていないアイデアやコンセプト自体，さらに画風や書風などの流儀，プログラム言語・規約・解法(アルゴリズム)などがある。また，表現されたものでも，ある内容について誰が作成しても同じような表現になるものや，きまり文句など平凡かつありふれた表現のものは創作性を欠き著作物とは認められないとされている。[*28]

図9.9に，Webページのデザインにおける著作物の例を示す。

*28 機械的に撮影された衛星画像，医用画像，監視カメラの映像なども創作性を欠いているため，著作物とはいえない。しかし，それらの使用にあたり撮影者や所有者を表示するなどの使用慣行や使用規約がある場合は，それらに従って適切に使用する。

■表9.5——著作物の種類

著作物の種類	内容
言語の著作物	講演，論文，レポート，作文，小説，脚本，詩歌，俳句など
音楽の著作物	楽曲，楽曲をともなう歌詞
舞踊，無言劇の著作物	日本舞踊，バレエ，ダンス，舞踏，パントマイムなどの振付け
美術の著作物	絵画，版画，彫刻，漫画，書，舞台装置など(美術工芸品を含む)
建築の著作物	美的特性を備えた建築物
地図，図形の著作物	地図，学術的な図面，図表，設計図，立体模型，地球儀など
映画の著作物	劇場用映画，アニメーション，ゲームソフト(RPGなど)，テレビドラマの映像部分などの「録画されている動く影像」
写真の著作物	写真，グラビアなど
プログラムの著作物	コンピュータプログラム
二次的著作物	上記の著作物(原著作物)を翻訳，編曲，変形，脚色，映画化，そのほか翻案して作成したもの
編集著作物	百科事典，辞書，新聞，雑誌，詩集などの編集物
データベースの著作物	データベース(9-4-3を参照)

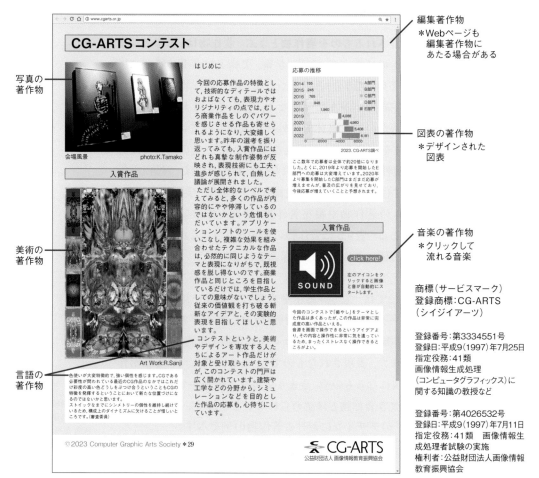

■図9.9——Webページのデザインにおける著作物

＊29 図9.9の左下©
は9-4-4を参照のこと。

[2] 著作者

著作者は，著作物を実際に創作した者である。スポンサーや発注者など制作資金を提供した者，企画立案者，資料やアイデア提供者でも，実質的な創作を行っていない者は著作者ではないため，著作権を取得することはできない。このような場合は，著作者と著作権の譲渡契約を交わすことで**著作権者**（権利をもつ者）になることができる。

著作者の特殊な場合として，つぎの職務著作の著作者がある。

職務上作成する著作物の著作者（職務著作）

＊30 著作物を実質
的に創作した従業員
などは著作者になれ
ず，法人が著作者とし
て著作財産権と著作
者人格権をもつ。

会社などで職務上作成する著作物については，つぎの要件をすべて満たした場合に限り，**職務著作**として実質的に創作した人が所属する会社など法人が著作者となる。[30]

1. 法人そのほか使用者の発意に基づくものであること。
2. 法人などの業務に従事する者の創作によること。
3. 職務上作成されるものであること。
4. 公表する場合に法人などの名義で公表されるものであること。[31]
5. 作成時に契約や勤務規則そのほかに別段の定めがないこと。

＊31 プログラムの
著作物は，公表されな
い場合も多いため，
4.を除く4つの条件を
満たせばよい。

[3] 著作権の発生

　著作権は，著作物を創作した人（著作者）に認められる権利で，創作した時点で自動的に権利が発生する。権利を取得するために出願，登録など何らかの手続きをする必要はない。これを**無方式主義**とよぶ。著作権には表9.2に示すように著作物の創作者に認められる著作権（**著作財産権**[*32]，**著作者人格権**[*33]）と，著作物を公衆に伝えるものに認められる**著作隣接権**[*34]がある。著作隣接権も，実演，レコード製作（最初の録音），放送，有線放送などの行為が行われた時点で自動的に発生し，取得手続きは必要ない。

[4] 保護期間

　知的財産権の各権利には一定の存続期間が定められている（表9.1参照）。この期間を**保護期間**とよぶ。著作権は，著作者が著作物を創作したときに始まり，原則として著作者の死後70年までであるが，著作物の種類により保護期間が異なる（表9.2の*27を参照）。保護期間が満了すれば権利は消滅し，それ以後，著作物は社会全体の公共財（パブリックドメイン）として誰でも自由に利用することができる。

[5] 著作権侵害

　著作物の利用において，保護期間内の著作物を著作権の権利制限規定[*35]の利用に該当せず，かつ著作権者からの許諾を得ることなく利用した場合は**著作権侵害**となる。

民事的救済と刑事罰

　著作者や著作権者は，侵害者に対して民事上の救済措置として利用の差し止めや損害賠償などを請求することができる。また，著作権侵害は犯罪行為であり，権利者の告訴（親告罪。一部を除く[*36]）によって侵害者は刑事罰として原則10年以下の懲役もしくは1,000万円以下の罰金，またはその両方，会社など法人は3億円以下の罰金に処せられる。

侵害コンテンツの違法ダウンロード

　私的使用のためであっても，正規版が有償で提供されている著作物が違法にアップロードされていることを知りながら，侵害コンテンツのダウンロードを反復・継続して行った者は，2年以下の懲役または200万円以下の罰金に処せられる。

■補足1──肖像の利用

> 著作権の問題ではないが，人物の顔が特定されるような写真などを利用する場合は，その人物の肖像権に注意する必要がある。肖像権は，人がみだりに自分の肖像を撮影されたり肖像を勝手に利用されたりしない権利で，人格的利益に関する「プライバシーの権利」と有名人の名前や肖像をめぐる経済的利益に関する「パブリシティの権利」の2つの面があると考えられている。人物の顔が特定できる写真などを利用する場合は，これらの権利侵害にならないよう必要に応じて許諾を得なければならない。

*32 著作権（著作財産権）は，著作者の財産的利益を保護する権利である。権利の全部または一部を他人に譲渡できる。

*33 著作者人格権は，著作者の人格的利益を保護する権利である。著作者人格権は一身専属で譲渡することができない。

*34 著作隣接権は，著作物を創作する者ではないが著作物を公衆に伝達する実演家（俳優，歌手，演奏家，指揮者，演出家など），レコード製作者，放送事業者，有線放送事業者に認められる権利である。録音権，録画権，複製権，送信可能化権などがある。実演家のみに実演家人格権（氏名表示権，同一性保持権）がある。

*35 私的使用目的の複製，写り込み，図書館での複製，引用，学校教育のための利用，非営利目的での上映，視聴覚障がい者のための利用，情報解析のための利用など（著作権法第30条から第47条の7）一定の条件のもとでは，権利者に許諾を得ることなく著作物を利用することができる。

*36 以下のすべての要件を満たす場合に限り，非親告罪の対象となる。
①対価を得る目的または権利者の利益を害する目的があること。
②有償著作物（有償で公衆に提供または提示されている著作物）について原作のまま譲渡・公衆送信または複製を行うものであること。
③有償著作物などの提供・提示により得ることが見込まれる権利者の利益が不当に害されること。

chapter

9

4-2

知的財産権

183

9-4-3 ディジタルデータなどの法的保護

CGなどディスプレイモニタ上に表示されるディジタルイメージは，その「表現」とその生成用「プログラム」を別個にとらえて，それぞれ著作物の定義に該当する限り著作物として保護される。ディスプレイモニタ上の「表現」に応じて，たとえば，グラフィックは美術の著作物や学術的な図形の著作物，アニメーションやゲームソフト（RPGなど）は映画の著作物に該当すると考えられる。思想・感情を包含していないデータ自体は著作物ではないが，情報の集合物であるデータベースで「情報の選択又は体系的な構成によって創作性を有するもの」はデータベースの著作物として保護される。

ディジタルデータは，コピーや改ざんなどが容易に行えるため，法的に保護されるものであっても，一度公表されたり，不注意に流出してしまえば，以後不正利用を防ぐことは非常に難しい。したがって，ディジタルデータは，必要に応じてデータへのアクセスを制限したり，複製防止機能や電子透かしなど技術的保護手段を活用したり，利用可能な範囲を意思表示するなど取り扱いや公表に関して主体的な管理が重要である。[37]

9-4-4 ©（マルシー）マークによる著作権表示

書籍の奥付，Webページなどでは©表示が記載されているものがある。これは著作権者と発行年を記した著作権表示であるが，日本国内において©表示の有無は，著作権の保護とは無関係である。日本は，**ベルヌ条約**[38]加盟国で無方式主義を採用しているため，表示がなくても保護を受けることができる。実際に©表示の効果があるのは，万国著作権条約のみに加入して方式主義[39]を採用している国においてのみである。しかし，条約の内容とは別に，©表示は著作権者および著作物の発行年が明確になるという機能的側面が重要視されて，Webページなどで利用されている。

万国著作権条約上の正式な表示は，©記号，著作物の最初の発行年，著作権者名の3つの要素を一体としたものである。©のCはCopyrightの頭文字である。

表示例　　© 2023 CG-ARTS All rights reserved.
　　　　　© CG-ARTS 2023 All rights reserved.

*37 著作物の利用において，ライセンスや権利譲渡とは別に，自社著作物の利用のガイドラインを提示する場合がある。例：「ネットワークサービスにおける任天堂の著作物の利用に関するガイドライン」

*38 明治19（1886）年にスイスのベルヌで成立した著作権の基本条約で，日本は明治32（1899）年に締結した。

*39 方式主義とは，著作権保護を受けるための条件として，登録，作品の納入，著作権の表示などの手続きを必要とすること。

index

188

入門マルチメディア [第二版] 編集委員会

[編集委員長]

福田 好孝

[編集委員]

樫村 雅章 （尚美学園大学）

久保田 浩明 （東芝デジタルソリューションズ株式会社）

杉沼 浩司 （日本大学）

中村 直人 （千葉工業大学）

[執筆者] 数字は担当したchapterを表す

大澤 文孝 （テクニカルライター）——— 6

樫村 雅章 （尚美学園大学）——— 2

川添 貴生 （テクニカルライター）——— 0・1・2・3・5・7・8

後藤 道子 （IPデザイン研究所）——— 9

佐藤 皇太郎 （サトリデザイン／東京造形大学）——— 2

清水 理史 （テクニカルライター）——— 4

杉沼 浩司 （日本大学）——— 3・4

中嶋 正夫 （城西国際大学）——— 1

村上 雄大 ——— 2

[五十音順]

[海外著作権処理] 株式会社ブルームーン
[執筆協力] サイトエンジン株式会社
[制作協力] ディクション株式会社
[企画・編集] 近藤 聖子　影山 由夏　黒川 崇史　篠原 たかこ　（CG-ARTS）

CG-ARTSの検定や書籍
（正誤表を含む）の情報は
こちらをご覧ください
www.cgarts.or.jp

書名 ——————— 入門マルチメディア [第二版]
第一版一刷 ——————— 2018 年 3 月 26 日
第二版一刷 ——————— 2023 年 2 月 15 日
発行者 ——————— 溝口 稔
発行所 ——————— 公益財団法人 画像情報教育振興協会 （CG-ARTS）
　　　　　　　　　 東京都中央区築地 1-12-22 コンワビル 7F　Tel 03-3535-3501
　　　　　　　　　 https://www.cgarts.or.jp/
表紙デザイン ——————— 北田 進吾　畠中 脩大 （キタダデザイン）
印刷・製本 ——————— 日興美術株式会社
ISBN978-4-903474-67-0　C3004

ミックス
責任ある木質資源を
使用した紙
FSC® C141561